Gaeilge agus Grá

Úrscéal don Fhoghlaimeoir Fásta

Alan Desmond

ff

Bord na Leabhar Gaeilge

Tá Comhar faoi chomaoin ag Bord na Leabhar Gaeilge as tacaíocht airgid a chur ar fáil le haghaidh foilsiú an leabhair seo.

Foilsithe ag Comhar Teoranta,
5 Rae Mhuirfean,
Baile Átha Cliath 2.

ISBN 0-9550477-7-3

Leagan amach: Graftrónaic
Clúdach: Eithne Ní Dhúgáin
Clódóirí: Johnswood Press

Do mo thuismitheoirí

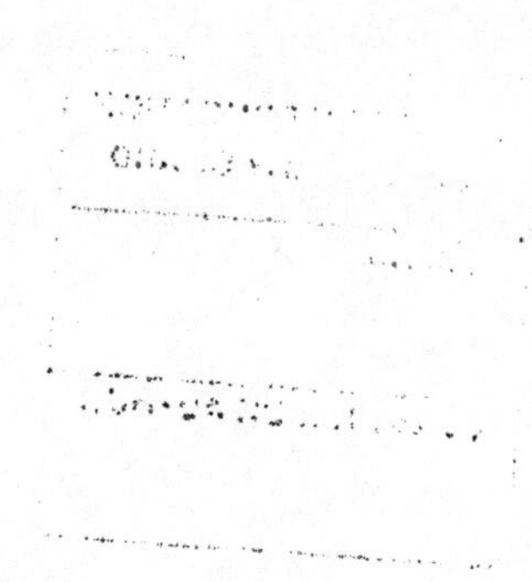

Leis an údar céanna:
An Foghlaimeoir Fásta (2006)

Caibidil 1

Mánas Ó Foghlú, múinteoir an rang Gaeilge

Bhí Biddy ina suí i gcúinne i gCaife Nuala, caife dátheangach ar imeall na cathrach. Agus *súimín á bhaint aici as cupán tae chuala sí guth a d'aithin sí.

"A Bhiddy, an tú féin atá ann?"

D'fhéach Biddy suas is chonaic cailín óg dathúil os a comhair amach agus tráidire ina glac aici ar a raibh taephota is *bocaire.

Cáitín, an freastalaí ó Shiopa na Gaeilge a bhí ann.

"A Cháitín, a chailín, nach agat atá an chuimhne? Ní fhacamar a chéile le beagnach leathbhliain anuas ach ina ainneoin sin d'aithin tú mé láithreach bonn. Maith thú."

"Is cuimhin liom thú go maith, a Bhiddy. Tháinig tú isteach i Siopa na Gaeilge díreach sular fhreastail tú ar do chéad rang Gaeilge le Mánas Ó Foghlú. Ba léir dom ag an am go raibh tú an-neirbhíseach. Bhí eagla orm nach

* súimín *a sip*

* bocaire *a muffin*

rachfá go dtí an chéad rang sin. Is mar sin a bhíonn sé go minic i gcás na bhfoghlaimeoirí fásta. Bíonn an-fhonn orthu an teanga a fhoghlaim ach teipeann an misneach orthu díreach agus iad ar tí freastal ar rang den chéad uair. Ach ós rud é gur anseo sa chaife seo atá tú, is dócha nár theip an misneach ort."

"Níor theip, buíochas le Dia. Ach ba mhór an chabhair dom é gur fhreastail mé in éineacht le fear a raibh aithne agam air. *Murach eisean, ní fheadar an mbeadh sé de mhisneach agam freastal ar na ranganna ar dtús in aon chor."

"Bhuel, pé tacaíocht a fuair tú ó éinne eile, tá creidiúint ag dul duit féin agus ba chóir duit bheith bródúil asat féin."

"Tá bród orm asam féin, chun a bheith macánta, a Cháitín, cé nach bhfuil an méid sin *dul chun cinn déanta agam is ba mhaith liom."

"Gach uile rud ina am féin, a Bhiddy, ná bí ag súil leis an iomarca. Cuirfidh tú *masla ort féin is beidh díomá ort."

"Deirtear nach dtagann ciall roimh aois, ach ní fheadar an bhfuil sé sin fíor i do chás féin, a Cháitín! Is comhairle mhaith í sin agus glacfaidh mé léi! Ach ná bí i do sheasamh mar sin os mo chomhair amach. Cuir an tráidire sin ar an mbord is *buail fút anseo in aice liom."

"Alright mar sin, mura miste leat..."

"Ní miste liom in aon chor. Suigh síos agus fáilte. Muna bhfuil dearmad orm, a Cháitín, tá athrú éigin tagtha ort ó bhí mé istigh i Siopa na Gaeilge sé mhí ó shin. Ní dóigh liom go n-aithneoinn thú dá rachainn tharat ar an tsráid."

* murach eisean *but for him*

* dul chun cinn *progress*

* cuirfidh tú masla ort féin *you will overstress yourself*

* buail fút ansin *sit yourself down there*

"Níl aon dearmad ort, a Bhiddy. Bhí fáinne sróine agam ansin agus bhí an dath corcra ar mo chuid gruaige. Ach bhí mo sheanmháthair de shíor ag *clamhsán faoin bhfáinne sróine agus d'éirigh mé bréan den dath corcra tamall maith ó shin, bhí mé ag ligean don dath nádúrtha teacht ar ais fiú nuair a tháinig tú féin go Siopa na Gaeilge."

"Ní le holc a deirim é seo, a Cháitín, ach aontaím le do sheanmháthair. Agus oireann dath nádúrtha do chuid gruaige duit. Nach bhfuil a fhios agat go dtaitníonn cailíní fionna le buachaillí.

"Tá a fhios agam sin ó d'fhás an dath nádúrtha ar ais", arsa Cáitín agus *cár gáire uirthi, "tá sé sin cloiste agam ó Mhánas féin."

"Tá tú fós ceanúil ar Mhánas mar sin."

"Och, a Bhiddy, táim *splanctha ina dhiaidh. Ar leag tú súil riamh ar fhear chomh álainn leis féin?"

"Bhuel chun an fhírinne a rá..."

Ach tháinig Cáitín roimh Bhiddy is lean uirthi ag caint go sceitimíneach.

"An uair dheireanach a bhí sé istigh d'inis mé dó go mbeadh ocht mbliana déag slánaithe agam i gceann míosa is dúirt sé go bhféadfaimis siúl amach le chéile ar deireadh thiar thall!"

"Nárbh fhearr duit buachaill ar comhaois leat a fháil", arsa Biddy agus ionadh uirthi, "caithfidh go bhfuil breis is deich mbliana ag Mánas ortsa."

"Á, seans nach dáiríre a bhí sé in aon chor. Ach fós féin. Is leor go ndúirt sé a leithéid."

---

* ag clamhsán *complaining*

* cár gáire *a broad smile, a grin*

* splanctha ina dhiaidh *crazy about him*

"Is leor é sin, tá an ceart agat," arsa Biddy agus *gruig uirthi, "ach tá *céile iomaíochta amháin agat ar a laghad. Tá bean ag freastal ar na ranganna Gaeilge agus is léir go dtaitníonn Mánas go mór léi."

"An bhfuil?" arsa Cáitín agus *iarracht den díomá ina glór, "conas atá na ranganna sin?"

"Bhuel, is cuimhin liom gur inis tú dom gur múinteoir iontach é Mánas, a Cháitín, ach ní bheinn ar aon tuairim leat faoi sin in aon chor. Nuair a d'fhreastail mé ar an rang den chéad uair bhí deichniúr san iomlán i láthair, mé féin, Pat, úinéir an tsiopa áitiúla a tháinig i mo theannta, agus ochtar ban eile. Anois níl ach cúigear fágtha sa rang, mé féin agus ceathrar ban eile."

"Ach ar fhág leath na bhfoghlaimeoirí na ranganna toisc gur droch-mhúinteoir é Mánas?" arsa Cáitín go *díchreidmheach.

"Is ar chúiseanna éagsúla a d'éirigh an cúigear sin as, a Cháitín. Is é sin fírinne an scéil. Bhí bean amháin mar shampla agus ní raibh go leor ama aici an Ghaeilge a fhoghlaim toisc go raibh *muirear mór uirthi. Bhí a fear ina *chláiríneach de dheasca timpiste ar láithreán tógála agus bhí uirthi uaireanta fada a chaitheamh ag obair in ollmhargadh.

Bhí bean eile a mhaígh go raibh post dúshlánach aici mar dhlíodóir sa chathair. Ní raibh sí in ann an méid ama a thabhairt do fhoghlaim na Gaeilge is ba mhaith léi. 'Mura féidir liom rud a dhéanamh go críochnúil, is fearr liom gan é a dhéanamh in aon chor', is ea an leithscéal a bhí ag an gcailín sin.

* gruig *a frown, scowl*
* céile iomaíochta *rival*
* iarracht den díomá ina glór *a trace of disappointment in her voice*
* go díchreidmheach *incredulously*
* bhí muirear mór uirthi *she had a big family to support*
* cláiríneach *cripple*

Ach measaim féin go raibh *cor á chur san fhírinne aici. Chonacthas dom go raibh an cailín bocht sáraithe ag an nGaeilge ach ní ligfeadh an bród di é sin a admháil."

"Bhuel ní féidir an milleán a chur ar Mhánas má d'éirigh siad as na ranganna ar na cúiseanna sin", arsa Cáitín agus Mánas á chosaint aici.

"B'fhéidir é, a Cháitín, ach fós féin sílim nach múinteoir maith é Mánas. Cuireann sé an-iomarca *béime ar chúrsaí gramadaí. Anuas air sin, ní thugann sé abairtí bunúsacha áisiúla don rang, abairtí a d'fhéadfaimis a úsáid agus gnáth-ghníomhartha á ndéanamh againn i rith gnáthlae.

Fiú le linn an chéad ranga a bhí againn rinneamar an briathar feic a fhoghlaim. An chéad rang Gaeilge agus an briathar casta neamhrialta sin á *réimniú againn i ngach ceann de na haimsirí! Nach bhfuil sé sin seafóideach amach is amach?"

"Agus an gcreidfeá é, ní féidir liom an gearán seo a lua le mo mhac, Liam ná lena chailín, Áine. Is múinteoirí bunscoile iadsan chomh maith. Tá an-mheas acu ar Mhánas agus tá siad araon an-mhór leis. Bheidís fíor-mhíshásta dá gcloisfidís aon fhocal cáinteach uaim mar gheall air. Ní bhogaim mo bhéal ar lochtanna Mhánais mar sin nuair a bhím ina gcuideachta."

"Is maith sin. Níor chóir Mánas a cháineadh in aon chor", arsa Cáitín agus súil á caochadh aici ar Bhiddy, "Abair liom faoin mbean seo sa rang atá ceanúil ar Mhánas."

"Sin Samantha ach tugaimse féin an *Stróinéisí mar leasainm uirthi. Is í an bhean is óige sa rang agus ní féidir

* bhí cor á cur san fhírinne aici *she was twisting the truth*

* iomarca béime *too much stress*

* reimniú *conjugate*

* stróinéisí *overbearing person*

liom *cur suas léi. Is trua nach raibh sise ar na foghlaimeoirí a d'éirigh as."

"Ach cén fáth nach maith leat í, a Bhiddy", arsa Cáitín agus í ag *blaisínteacht ar an mbocaire.

"Och, tá sí lán di féin agus tá Gaeilge chomh maith sin aici nach gá di in aon chor freastal ar na ranganna, dar liom. Baineann sí úsáid as focail dheacra *dheoranta nuair a bhíonn sí ag labhairt leis an rang. Is maith a thuigeann sí nach bhfuil a fhios ag éinne eile sa rang cad is brí leis na focail sin ach is cuma léi. Ní theastaíonn uaithi ach aird Mhánais a tharraingt uirthi féin agus tapaíonn sí gach deis a fhaigheann sí chun taispeáint go bhfuil Gaeilge mhaith aici. Déanann Mánas moladh ar a cuid Gaeilge go minic agus bíonn Samantha chomh *bródúil le cat a mbeadh póca air nuair a chloiseann sí na focail mholtacha sin."

"Tá sé ait go bhfreastalaíonn sí ar na ranganna sin má tá a cuid Gaeilge chomh maith leis sin", arsa Cáitín.

"Níl sé ait in aon chor", arsa Biddy. "Ní dóigh liom gurb í foghlaim na Gaeilge an phríomh-aidhm atá ag an Stróinéisí. Níl inti ach *rálach agus ní theastaíonn uaithi ach *dul faoin mbraillín le Mánas, chuirfinn geall as."

Chuir Caitín an bocaire síos ar an bpláta agus bhrúigh ar leataobh é. Bhí dreach ghruama uirthi.

Thuig Biddy nár chóir di caint den saghas sin a dhéanamh le cailín óg a bhí ceanúil ar Mhánas is rinne sí iarracht feabhas éigin a chur ar an méid a bhí ráite aici.

"Ach d'fhéadfadh dul amú ar fad bheith orm. Níl ann ach go gcuireann an Samantha sin isteach go mór orm, tá sí

* ní féidir liom cur suas léi *I can't stand her*
* ag blaisínteacht *nibbling*
* deoranta *strange, unusual*
* chomh bródúil le cat a mbeadh póca aige *as proud as Punch*
* rálach *hussy, loose woman*
* dul faoin mbraillín le *go to bed with*

chomh *geabanta *postúil sin. Fiú má thaitníonn Mánas léi, táim cinnte nach bhfuil a mhalairt fíor. Níl sí dathúil in aon chor, murab ionann is tusa."

D'ardaigh na focail sin meanma Cháitín agus thosaigh sí ag blaisínteacht ar an mbocaire arís.

"Agus cén fáth ar thug úinéir an tsiopa áitiúla cúl ar na ranganna Gaeilge? Nach raibh sé sásta gurbh eisean an t-aon fhear amháin a bhí sa ghrúpa?

"Ní raibh sé ar a shuaimhneas dá dheasca sin maith go leor, ach níorbh é sin a thug air éirí as. Is é fírinne an scéil nach bhfuil go leor muiníne ag Pat as féin. Shíl sé go raibh níos mó Gaeilge ag na foghlaimeoirí eile, shíl sé gur thuig siad níos mó ná mar a thuig sé féin. Nuair a d'fhiafraigh Mánas den rang an raibh gach rud soiléir chroithfeadh na mná a gcinn go fuinniúil. Níor léir do Phat nach raibh siad ach ag cur i *gcéill leath an ama. Mheas sé gurbh eisean an t-aon duine amháin nár thuig gach rud a bhí á rá ag Mánas. Tá sé chomh *soineanta le leanbh ar chéad bealach."

"An créatúr bocht", arsa Cáitín agus trua ina glór.

"Fadhb eile a bhí ag Pat ná go raibh sé thar a bheith cúthail. Ó am go ham bíonn ar na foghlaimeoirí óráidí gearra a thabhairt i rith an ranga. Bíonn orainn seasamh os comhair an chláir dhuibh agus labhairt leis an rang go léir ar ábhar áirithe. Bhíodh Pat buartha san intinn ag na hóráidí seo. D'admhaigh sé dom go mbíodh sé ina luí sa leaba an oíche roimh an rang Gaeilge agus é ina lándúiseacht. Is beag codladh a rinne sé na hoícheanta sin, bhí sé chomh *ciaptha sin ag an imní."

---

* geabanta *talkative, loquacious*

* postúil *self-important, conceited*

* ag cur i gcéill *pretending*

* chomh soineanta le leanbh *as innocent as a child*

* ciaptha ag an imní *tormented with anxiety*

Chroith Cáitín a ceann go tuisceanach agus an greim deireanach bocaire slogtha siar aici.

"Fiú nuair a bhí air a obair bhaile a léamh amach os ard, dhearg sé go bun na gcluas. Bhí trua agam dó agus níor chuir sé iontas dá laghad orm nuair a dúirt sé liom go raibh sé chun éirí as na ranganna. Bhí socraithe againn go mbeimis ag freastal ar na ranganna i dteannta a chéile is go dtabharfaimis tacaíocht dá chéile agus bhí díomá orm mar sin nach mbeadh cara agam sa rang ach ag an am céanna thuig mé dó."

"Ní raibh olc agat dó mar sin?"

"Ní raibh in aon chor. Ach measann sé féin gur fhág sé san *abar mé agus déanann sé tagairt do sin go minic. Bímse i gcónaí ag rá leis gur mór agam an tacaíocht a thug sé dom ag an tús. Deirim leis nach rachainn go dtí an chéad rang murach eisean. Ach ina ainneoin sin níl sé istigh air féin gur fhág sé an rang."

"Tá tú fós i dteagmháil leis mar sin?"

"Tá", arsa Biddy agus *meangadh cúthail uirthi.

"Táim fós óg, a Bhiddy, ach aithním an dreach sin. Tá tú i ngrá leis an bPat seo, nach bhfuil?"

"D'fhéadfá a rá, d'fhéadfá a rá", arsa Biddy agus *coinnle ar a súile, "Is féidir liom an méid seo a rá leat: táimid chun pósadh."

* gur fhag sé san abar mé *that he left me in the lurch*

* meangadh cúthail *a shy smile*

* coinnle ar a súile *her eyes alight*

Caibidil 2

Focail ghéara Liam lena mháthair

Bhí ionadh an domhain ar mhic Bhiddy agus ar Áine nuair a fuair siad amach go raibh Biddy chun Pat a phósadh. Bhí aithne mhaith ag Liam agus Eoin ar Phat. Nuair a thugadh a máthair síob ar scoil dóibh théidís isteach go siopa Phat ar an tslí is cheannaídís barraí seacláide nó milseáin. Thaitin Pat go mór leo araon. Bhíodh sé foighneach leo i gcónaí nuair a bhídís ag iarraidh na barraí seacláide a bhí uathu a roghnú.

Ní chuireadh Pat aon deifir orthu cé go mbíodh slua daoine sa siopa ag an am sin den mhaidin agus scuaine fhada taobh thiar de na buachaillí. Dhéanadh Pat gáire leo agus a rogha déanta acu ar deireadh thiar thall agus ní bhíodh aon chlamhsán uaidh nuair a chuiridís *mám sóinseála bige ar an gcuntar.

Ach níor shamhlaigh siad riamh go mbeadh an fear cineálta ón siopa mar leasathair acu.

* mám sóinseála *a handful of small change*

Bhí a fhios ag Liam agus Áine gur thosaigh Biddy ag freastal ar an rang Gaeilge in éineacht le Pat. Thuig Liam go raibh a mháthair fíor-shásta go raibh Pat ina teannta sna ranganna Gaeilge. Ach níor rith sé riamh leis go raibh níos mó ná sin i gceist. Nuair a chuala sé go raibh Pat tar éis éirí as an gcúrsa Gaeilge mheas sé go dtiocfadh deireadh leis an teagmháil idir Pat is a mháthair. Bhí an méid sin ama á thabhairt ag Biddy do fhoghlaim na Gaeilge nár cheannaigh sí na páipéir laethúla a thuilleadh. B'annamh a thug sí cuairt ar shiopa Phat dá bharr sin.

Bhí ionadh ar Liam mar sin nuair a fuair sé glao gutháin óna mháthair ag rá go mbeadh Pat ina teannta nuair a thiocfadh sí le haghaidh dinnéir an lá dár gcionn.

"Ní haon fhadhb í sin, a Mhamaí. Déarfaidh mé le hÁine breis feola is prátaí a bheiriú agus beidh béile breá blasta ag an gceathrar againn."

Bhuail Biddy cnag ar dhoras Liam an lá ina dhiaidh sin go pointeáilte ag an am a socraíodh.

D'oscail Liam an doras agus ansin os a chomhair amach bhí a mháthair agus idir *smideadh is ghúna galánta uirthi. In aice léi bhí Pat, culaith bhreá nua air agus an chuma air go raibh sé *nite sciomartha. Thuig Liam láithreach bonn go raibh rud éigin as an ngnáth ar siúl.

"Tagaigí isteach is bainigí díbh bhur gcótaí. Beidh an dinnéar ar an mbord i gceann cúpla nóiméad. Tá súil agam go bhfuil ocras oraibh, tá mála mór prátaí beirithe ag Áine. Caithfidh mé a rá go bhfuil sibh araon ag féachaint go hálainn. Ní fhaca mé riamh thú, a Phat, agus tú chomh

* smideadh *make-up*

* nite sciomartha *washed and scrubbed*

*cíortha cóirithe is atá tú inniu. An bhfuil ócáid speisialta éigin ann?"

*Ruaimnigh aghaidh Phat. Ba léir nach raibh sé ar a shuaimhneas.

"Dúirt do mháthair liom go mba chóir dom bheith gléasta go slachtmhar inniu", arsa Pat go cúthail.

"Ó, is léir go bhfuil tú faoina hordóg ag mo mháthair, a Phat."

Chaoch Biddy súil ar Phat is lean an bheirt acu Liam isteach go dtí an chistin.

"A Áine, a stór, is é seo Pat Myers, fear an tsiopa a ghlacadh le mámanna sóinseála uainn nuair a bhíomar ar scoil."

"Tá a lán cloiste agam mar gheall ort", arsa Áine agus lámh á croitheadh aici le Pat, "rinne tú foighne mhór le Liam is a dheartháir agus iad óg."

"*Beart gan leigheas, foighne is fearr air", arsa Pat agus é ag déanamh grinn. "Ach chun bheith dáiríre, bhí na buachaillí ar na custaiméirí ab fhearr a bhí agam. Bhí siad dea-mhúinte riamh agus níor iarr siad riamh orm milseáin a thabhairt dóibh ar *cairde mar a rinne roinnt mhaith leanaí eile. Agus buíochas leo ní bhíodh aon easpa sóinseála bige orm. Is tábhachtach an rud é an tsóinseáil bheag ina leithéid de shiopa is atá agam."

Shuigh an ceathrar acu chun boird. Bhí na plátaí faoi *mhaoil le prátaí agus shíl Biddy nach raibh Áine in ann aon rud eile a ullmhú seachas feoil is prátaí beirithe. Bhí go leor céille aici gan aon rud den saghas sin a rá os ard, áfach.

---

* cíortha cóirithe *well-groomed*

* ruaimnigh a aghaidh *his face flushed*

* beart gan leigheas foighne is fearr air *what can't be cured must be endured*

* ar cairde *on credit*

* faoi mhaoil le préataí *heaped with potatoes*

Nuair a bhí a dhóthain ite ag gach duine líon Áine dhá ghloine le fíon. Thug sí ceann do Bhiddy agus ceann eile do Phat.

"Abair linn faoi na ranganna Gaeilge, a Bhiddy", arsa Áine, "deir Mánas linn go bhfuil an-dul chun cinn déanta agat. Ba chóir duit bheith bródúil asat féin".

"Ó, níl a fhios agam faoi sin, a Áine. Ach táim ag déanamh mo dhíchill, pé scéal é".

"Ná cuir *cor san fhírinne, a stór", arsa Pat agus é ag teacht roimh Bhiddy, "is é fírinne an scéil go bhfuil an-dul chun cinn déanta agat. Mar a dúirt mé leat cheana, ba chóir duit bheith chomh bródúil le cat a mbeadh póca air".

"Bhuel, má tá dul chun cinn déanta agam tá creidiúint ag dul do Mhánas agus na scileanna maithe múinteoireachta atá aige", arsa Biddy agus gáire *fonóideach á dhéanamh aici.

Níor thuig Áine gáire Bhiddy agus theastaigh uaithi ceist a chur uirthi faoi scileanna múinteoireachta Mhánais ach sula raibh deis aici labhair Liam go tútach.

"Cloisim focail *mhuirneacha agat agus tú ag caint le mo mháthair, a Phat. Nach bhfuil tú ag dul thar *fóir?"

Ba bheag nár thit Pat as an gcathaoir. Ba léir gur ghoill focal géar Liam air. Thug Áine *súil bhorb ar Liam. Baineadh siar aisti gur labhair sé chomh *tútach sin. Rinne sí iarracht an t-ábhar cainte a athrú.

"Táim cinnte go bhfuil a lán le rá ag Biddy faoi na ranganna Gaeilge. Ná déan dearmad, a Bhiddy, go bhfuil cuireadh agat ó mo thuismitheoirí cuairt a thabhairt orthu

---

* na cuir cor san fhírinne *don't distort the truth*

* fonóideach *mocking*

* muirneach *endearing*

* ag dul thar fóir *going too far*

* thug sí súil bhorb air *she looked fiercely at him*

* tútach *rude*

pé uair is maith leat. Beidh tú in ann Gaeilge agus saol na Gaeltachta a bhlaiseadh".

"Go raibh maith agat as sin, a Áine. Ach ba mhaith liom freagra a thabhairt ar cheist Liam. Chun an fhírinne a rá thángamar anseo inniu chun rud éigin tábhachtach a rá libh".

"Ná déan scéal mhadra na n-ocht gcos de, a Mhamaí. Abair é is bí réidh leis".

Ach níor fhéad Áine cur suas le tútachas Liam. Bhris ar an bhfoighne aici agus lig sí béic air. "Is tusa atá ag dul thar fóir, a bhuachaill. Tá tú ag caitheamh go huafásach le Pat agus le do mháthair. Tá tú ag tarraingt náire orm. An mar sin is cóir labhairt le haíonna i do theach féin?"

Chiúnaigh Liam agus lean Biddy ar aghaidh.

"Tá mé féin agus Pat chun pósadh", arsa Biddy agus a lámh á fáscadh ag Pat. "Tuigeann sibh araon a *uaigní atá mé ó fuair m'fhear bás beagnach bliain go leith ó shin. Tá céile Phat ar *shlí na fírinne le blianta fada agus tá sé uaigneach, leis. Réitímid go maith le chéile, tugaimid tacaíocht dá chéile agus táimid i ngrá le chéile. Táimid cinnte go dteastaíonn uainn bheith le chéile go lá ár mbáis. Tuigim, a Liam, a stór, nach bhfuil mórán ama imithe ó chuaigh do Dhaid ar an mórshlua, agus ná síl go bhfuil dearmad déanta agam air. Táim fós uaigneach ina dhiaidh, agus beidh choíche. Ach táim féin agus Pat ag dul *anonn in aois agus aontaímid araon leis an nath cainte *'ná cuir do leas ar cairde'. Mar a deir an seanfhocal, 'níl neart ar an mbás ach pósadh arís'. B'fhéidir go síleann tú go bhfuilim ag caint go fuarchroíoch, a stór, ach nílim, deirimse leat."

---

* a uaigní agus atá mé *how lonely I am*

* ar shlí na fírinne *gone to his eternal reward*

* ag dul anonn in aois *getting older*

* na cuir do leas ar cairde *don't let an opportunity slip from you*

"Agus ar chuala sibh riamh an nath cainte *'tagann gach maith le cairde'? Tuigim go bhfuil sibh uaigneach ach níl Daid fuaraithe agus teastaíonn uait dul faoin mbraillín leis an gcéad bhoc a casadh ort."

Bhí an *deoir ar an tsúil ag Biddy bhí sí chomh gonta sin ag focal Liam. Rinne Pat dearmad ar a chúthaileacht nuair a chonaic sé go raibh Liam ag goilleadh ar Bhiddy. D'éirigh sé ina sheasamh is chuir sé a dhá láimh ar ghuaillí Bhiddy. Agus súil bhorb á tabhairt aige ar Liam dúirt sé, "cuir srian le do theanga, a mhic, níl aon cheart agat in aon chor labhairt mar sin le do mháthair ná liom féin."

Bhí trua ag Áine do Bhiddy is do Phat agus cheap sí go raibh Liam ag labhairt go neamhthuisceanach leis an mbeirt acu.

"Tuigim go raibh tú gar do do athair, a stór", arsa Áine, "ach tá tú ag dul thar fóir. Tá tú ag caint mar a bheifeá i do chailín óg. Déan do mhachnamh sula ndéarfaidh tú aon rud eile."

"Níor dhuine áibhéalach riamh tú, a Liam, ach tá tú ag déanamh áibhéile nuair a deir tú nach bhfuil do athair fuaraithe. Tá beagnach bliain go leith imithe ó *cuireadh é. Tá an t-am ag sleamhnú thart agus táim ag dul anonn in aois. Ní fiú dom fanacht go dtí go sleamhnóidh an chéad bhliain eile agus mé fós i m'aonar. Tuigim cad is uaigneas ann, a stór, agus is mian liom cúl a thabhairt dó."

"Más é an t-uaigneas atá ag cur isteach ort is féidir leat tuilleadh ama a chaitheamh linn anseo. Agus nach bhfuil aithne agat ar na daltaí eile ón rang Gaeilge? Nach cuideachta mhaith iadsan? Nach bhféadfadh Eoin teacht

* tagann gach maith le cairde *everything comes to those who wait*

* bhí an deoir ar an tsúil aici *she had tears in her eyes*

* ó cuireadh é *since he was buried*

abhaile ón Astráil? D'fhéadfadh sé post éigin a fháil anseo agus d'fhéadfadh sé cónaí leat arís, sa sean-seomra a bhíodh aige."

"A Liam, a mhic, níl sé sin réadúil in aon chor. Níl ach raiméis á rá agat", arsa Biddy i nglór ciúin. "Agus tá níos mó ná an t-uaigneas i gceist. Tá mé i ngrá le Pat. Teastaíonn uaim an chuid eile de mo shaol a chaitheamh leis. Bíodh tuiscint agat dom, a mhic. An cuimhin leat an lá a dúirt sibh liom go bhfuil Áine ag iompar clainne? Admhaím gur scinn focail *ghoilliúnacha ó mo bhéal ag an am, ach nár éist mé libh is nár thacaigh mé libh ar deireadh thiar thall?"

"Tá an ceart aici, a stór", arsa Áine le Liam, "nach bhféadfá an cineáltas sin a chúiteamh anois?"

"Dála an scéil, a Áine," arsa Biddy agus í ag iarraidh an t-ábhar cainte a athrú, "an bhfuil gach rud i gceart leat féin is leis an leanbh atá le teacht?"

"Tá, Biddy, buíochas le Dia. Braithim mé féin go maith. Ach níl ach sé mhí imithe go fóill. Tá laethanta níos deacra os mo chomhair amach, is dócha".

"Ach tá an tsláinte agat, a Áine, agus is é sin an rud is tábhachtaí".

"Is fearr an tsláinte ná na táinte", arsa Biddy is Áine go díreach ag an am céanna. Rinne an bheirt acu gáire croíúil.

Bhí maolú ag teacht ar an teannas ach bhí dreach gruama fós ar Liam. "An bhfuil an scéal grá seo inste agaibh d'Eoin go fóill?" ar seisean le searbhas.

* focail ghoilliúnacha *hurtful words*

"Chuir sé glao gutháin orm inné agus d'inis mé ansin dó. Ghuigh sé sonas orainn agus dúirt sé go raibh áthas air go raibh mé ag bogadh ar aghaidh le mo shaol. Níl sé cinnte an mbeidh sé in ann teacht abhaile i gcomhair na *bainise ach déanfaidh sé a dhícheall".

"Nach bhfuil sé thar a bheith tuisceanach ar fad. Agus cathain go díreach a bheidh an bhainis bhreá seo?"

"I gceann míosa", arsa Pat go *diongbháilte.

"Guím sonas oraibh araon", arsa Liam i nglór gruama.

---

* bainis *wedding reception*

* go diongbháilte *in a decisive manner*

Caibidil 3

Biddy agus Áine ag ullmhú don bhainis

D'éirigh Biddy ag leathuair tar éis a seacht maidin a pósta. Bhí sí ina lándúiseacht i bhfad roimh leathuair tar éis a seacht, áfach, bhí sí chomh neirbhíseach sin. Agus í ag éirí as an leaba d'fhéach sí ar na *stiallacha páipéir a bhí greamaithe de bhallaí an tseomra. Ar na píosaí páipéir seo bhí nathanna is abairtí as Gaeilge a bhí á bhfoghlaim ag Biddy. De ghnáth léadh sí roinnt de na habairtí sin os ard ach ní raibh fonn uirthi é sin a dhéanamh an mhaidin seo.

"Ba chóir dom na stiallacha páipéir sin a bhaint de na ballaí, sílfidh Pat go bhfuilim as mo mheabhair", arsa Biddy léi féin agus fallaing sheomra á cur uirthi aici.

Chuaigh sí síos an staighre go dtí an chistin is chuir sí an citeal ar fiuchadh. Agus súimín á bhaint aici as an gcupán tae thug sí faoi deara go raibh crith ar a lámh, bhí sí chomh sceitimíneach sin.

* stiallacha páipéir *strips of paper*

"Nach óinseach chríochnaithe mé", arsa Biddy os ard leis an gcistin fholamh, "breis is caoga bliain agam agus sceitimíní orm mar a bheadh cailín óg ionam agus coinne agam le buachaill tar éis na scoile."

"An leat féin atá tú ag caint, a Bhiddy, a stór", arsa Áine agus í ag teacht isteach go dtí an chistin.

"A Áine, a chailín, bhain tú geit asam, cheap mé nach mbeifeá anseo go dtí leathuair tar éis a hocht."

"Tá a fhios agam, a Bhiddy, ach dhúisigh mé go moch ar maidin agus theastaigh uaim teacht anseo a luaithe agus ab fhéidir chun cabhrú leat."

"Is mór agam é sin, a stór, tá tú an-chineálta. Is tusa an *banchliamhain is fearr ar dhroim an domhain, táim cinnte de sin, cé nach bhfuil tú pósta le mo mhac go fóill", arsa Biddy agus gáire á dhéanamh aici le hÁine, "agus tá an ceart agat, is liom féin a bhí mé ag caint! Tá sé de nós agam é sin a dhéanamh ó fuair m'fhear bás. Ní bhíonn an teach chomh huaigneach sin nuair a bhíonn guth duine le cloisteáil."

"Bhuel, ní fada go mbeidh deireadh leis an uaigneas. Beidh dhá ghuth le cloisteáil sa teach seo sula i bhfad. Tá athruithe móra i *ndán duit", arsa Áine agus *méanfach á ligean aici.

"Tá an ceart agat, a Áine. Tá athruithe thar a bheith mór i ndán dom. Feicim go bhfuil tuirse ort, dála an scéil, ach ní tusa an t-aon bhean amháin a dhúisigh go moch ar maidin, is féidir liom a rá leat. Bhí mé i mo lándúiseacht leath na hoíche tá mé chomh neirbhíseach sin."

* banchliamhain *daughter-in-law*

* i ndán duit *in store for you*

"Tuigim go bhfuil tú ar cipíní, a Bhiddy, ach ná bí buartha, beidh gach rud i gceart, deirimse leat."

"Tá súil agam go bhfuil an ceart agat, a Áine. An rud is mó atá ag déanamh imní dom ná iompar Liam. Ba mhór an faoiseamh dom é nuair a ghlac sé le cuireadh Phat chun bheith mar *fhinné fir, ach ina ainneoin sin, is léir go bhfuil sé fíor-mhíshásta leis an rud go léir."

"Ná bíodh olc agat do Liam, a Bhiddy. Níl ann ach gur tháinig scéala an phósta gan aon choinne in aon chor. Baineadh siar as. Tuigeann tú féin a cheanúla a bhí sé ar a athair. Ach i gceann na haimsire rachaidh sé i dtaithí ar an gcuma nua a bheidh ar an teaghlach agus féachfaidh sé ar Phat mar athair."

"Níl a fhios agam faoi sin, a Áine, nílim chomh dóchasach is atá tú féin, chun an fhírinne a rá."

"Geallaimse duit, a Bhiddy, tiocfaidh feabhas ar rudaí i gceann na haimsire. Ach is féidir linn bheith ag comhrá faoi seo níos déanaí. Tá an t-am ag sleamhnú thart agus tá a lán ullmhúcháin le déanamh againn. Téimis suas an staighre go dtí an seomra leapa. Cuirfidh tú do ghúna ort agus cóireoidh mé do chuid gruaige."

"Déan foighne, a Áine, caithfidh mé mé féin a fholcadh ar dtús."

"Déanfaidh mé foighne má dhéanann tú deifir!"

"Ól cupán tae agus beidh mé leat i gceann nóiméid. Bheadh sé deacair ort ceann gruaige nach bhfuil nite a chóiriú!"

Shuigh Áine síos go mall cúramach is lig cnead aisti féin.

* méanfach *yawn*

* finné fir *best man*

"Dá mba *fúm féin é bhéarfainn an leanbh seo inniu. Táim chomh mór is chomh trom le caisleán, nach bhfuil?"

"Níl in aon chor. Ná bí buartha. Níl ach dhá mhí eile le fanacht. Imeoidh an aimsir go tapa is beidh deacrachtaí de shaghas eile agat ansin."

"Go raibh maith agat, a Bhiddy. Tugann na focail sin uchtach dom maith go leor", arsa Áine agus í ag gáire.

Agus Biddy sa seomra folctha d'fhéach Áine timpeall na cistine. Ba léir go raibh Biddy ag déanamh a díchill an Ghaeilge a fhoghlaim. Greamaithe de ghléasanna na cistine bhí stiallacha páipéir ar a raibh leagan Gaeilge na ngléasanna. Chroith Áine a ceann le barr iontais. "Cófra", "doirteal", "cuisneoir", "meaisín níocháin", "citeal", "cófra aráin", "ciseán torthaí", "bosca bruscair", "sceanra", "oigheann". Greamaithe den doras bhí an lipéad, "*murlán dorais". Nuair a thug Áine súil ar an bhfocal sin rinne sí gáire beag. Ní raibh an focal 'murlán' feicthe aici riamh roimhe sin, cé gur tógadh le Gaeilge í. Rith sé léi go mbeadh Éire lán de Ghaeilgeoirí dá mbeadh gach foghlaimeoir chomh *díocasach le Biddy.

Agus a bolg á chuimilt go grámhar ag Áine rinne sí machnamh ar gach rud a bhí tite amach i rith na bliana go leith a bhí imithe thart. Bhí bás faighte ag athair Liam gan aon choinne in aon chor. Ní raibh ach dhá bhliain is caoga aige agus bhí an chuma air go raibh sé i mbarr a shláinte. Deireadh sé go minic go raibh sé ag tnúth go mór leis an lá a bheadh garchlann air ach mar a tharla cailleadh é roimh an lá sin.

* da mba fúm féin é *if it were up to me*

* murlán dorais *door knob*

* díocasach *eager*

Ba é fírinne an scéil gur gan choinne a bhí sí ag iompar clainne, leis. Níor chuir an *toircheas seo gan choinne isteach uirthi ná ar Liam, áfach. Bhí siad go maith as. Bhí a dteach féin acu is bhí poist sheasta acu araon. An t-aon rud a chuir imní orthu ná go raibh a fhios acu nach mbeadh a dtuismitheoirí sásta go mbéarfaí leanbh dóibh gan iad bheith pósta. *Leanbh tabhartha. Sin a thug daoine ar comhaois lena dtuismitheoirí ar leanaí a rugadh do dhaoine neamhphósta.

Chuimhnigh Áine ar an díomá a tháinig ar Bhiddy nuair a dúirt Liam léi go raibh Áine ag iompar. Ghoill díomá Bhiddy go croí ar Áine agus chonacthas di ag an am nach dtiocfadh aon fheabhas ar an dearcadh a bhí ag Biddy uirthi. Ba léir cheana nár thaitin sé le Biddy go raibh Áine is Liam in aontíos gan bheith pósta. Chuaigh cúrsaí in olcas mar sin nuair a dúradh le Biddy go mbéarfaí leanbh don phéire neamhphósta.

Ach in ainneoin na bhfocal goilliúnach a scinn ó bhéal Bhiddy ag an am, ba go tapa a d'athraigh sí a port. Ní raibh ach leathbhliain imithe ó fuair Biddy amach mar gheall ar an toircheas agus bhí sise agus Áine ag réiteach go sármhaith le chéile.

Smaoinigh Áine ar an eagla a bhí ar Bhiddy nuair a thosaigh sí ag freastal ar an rang Gaeilge den chéad uair. Ba chuimhin léi go ndúirt Liam go mbeadh Pat, fear an tsiopa, in éineacht léi. Ba é sin an chéad uair riamh a chuala sí trácht ar an bhfear siopa seo agus anois bhí Biddy chun Pat a phósadh.

"Is ait an mac an saol", arsa Áine leis an gcistin fholamh agus an braon deiridh tae á shlogadh siar aici."

* toircheas *pregnancy*

* leanbh tabhartha *illegitimate child*

"Tagaim leat go hiomlán ar an bpointe sin", arsa Biddy agus í díreach tagtha amach ón seomra folctha, "ach abair liom, a Áine, an leat féin atá tú ag caint?"

Scairt an bheirt bhan amach ag gáire.

Caibidil 4

An tAifreann pósta agus an bhainis ina dhiaidh

Bhain Biddy is Áine an séipéal amach cúpla nóiméad roimh a dó san iarnóin. Bhí gruaig Bhiddy cóirithe go slachtmhar ag Áine agus bhí gúna galánta bán á chaitheamh aici. Bhí ionadh ar Bhiddy nuair a chonaic sí go raibh an séipéal lán go doras. Mheas sí gur chustaiméirí de chuid Phat a bhformhór. Bhí na mná go léir *gléasta go barr na méar is bhí na fir go léir cíortha cóirithe.

Nuair a chonaic Biddy Pat agus é ina sheasamh os comhair na haltóra tháinig *sciatháin ar a croí. Bhí sí lánchinnte go raibh an rud ceart á dhéanamh aici. Bhí a dhá súil chomh sáite sin i bPat nach bhfaca sí Liam, a bhí ina sheasamh taobh thiar de Phat agus dreach gruama air.

Thosaigh an t-orgánaí ag seinm ar an orgán agus shiúil Biddy síos an séipéal i dtreo na haltóra. Nuair a bhí sí in aice le Pat d'fhéach an bheirt acu idir an dá shúil ar a

* gléasta go barr na méar *dressed to the nines*

* tháinig sciatháin ar a croí *she became elated*

chéile. Rinne Pat gáire cúthail grámhar le Biddy. Bhí Biddy chomh mothúchánach sin go raibh an deoir ar an tsúil aici.

Shocraigh Biddy go mbeadh idir Ghaeilge is Bhéarla á labhairt ag an Aifreann pósta seo agus cuireadh gliondar ar a croí nuair a chuala sí na chéad fhocail a dúirt an sagart.

"In ainm an Athar agus an Mhic agus an Spioraid Naoimh."

"Amen."

"Grásta ár dTiarna Íosa Críost agus grá Dé agus cumann an Spioraid Naoimh libh go léir."

"Agus leat féin."

Bhí idir ionadh is áthas ar Bhiddy go raibh an pobal in ann an sagart a thuiscint. Ní amháin sin. Bhí siad in ann na freagraí cearta a thabhairt. Chuimhnigh Biddy ar an nglao gutháin a chuir sí ar Mhánas Ó Foghlú tuairim is leathbhliain ó shin nuair a theastaigh uaithi freastal ar rang Gaeilge. Dúirt Mánas léi ag an am go bhfuil níos mó Gaeilge ag daoine ná mar a fheictear dóibh. Cé nach mór an meas a bhí ag Biddy ar Mhánas mar mhúinteoir, chonacthas di go raibh an ceart aige ar an bpointe sin.

Bhí Biddy fíor-shásta gur chuir an sagart tús leis an Aifreann as Gaeilge ach nuair a thosaigh sé an *Fhaoistin Choiteann a rá as Gaeilge shíl sí go raibh sé ag dul thar fóir. Mheas sí nach mbeadh an leagan Gaeilge den phaidir seo ar eolas ag éinne. Ach ba ar Bhiddy a bhí dul amú.

Nuair a dúirt an sagart na focail, "Admhaím do Dhia uilechumhachtach, agus daoibhse, a bhráithre, gur

* an Fhaoistín Choiteann *the Confiteor*

pheacaigh mé go trom", rinne roinnt mhaith den phobal a rá in éineacht leis, "gur pheacaigh mé go trom, le smaoineamh agus le briathar, le gníomh agus le faillí, trí mo choir féin, trí mo choir féin, trí mo mhórchoir féin."

Bhí Biddy chomh bródúil le cat a mbeadh póca air go raibh an méid sin Gaeilge á labhairt ag a hAifreann pósta i séipéal a bhí suite i bparóiste i bhfad ó réigiún Gaeltachta.

Lean an tAifreann ar aghaidh as Béarla go dtí go raibh ar Bhiddy is Pat na *móideanna pósta a thabhairt. Bhí an leagan Gaeilge de na móideanna seo curtha de ghlanmheabhair ag an lánúin. Bhí sé á chleachtadh acu lá i ndiaidh lae le mí anuas.

Rinne an sagart cúpla ceist a chur orthu ar dtús.

"A Phat is a Bhiddy, ar tháinig sibh anseo *de bhur ndeoin féin go hiomlán chun sibh féin a thabhairt dá chéile sa phósadh?"

"Thángamar."

"An mbeidh grá agus meas agaibh ar a chéile ar feadh bhur saoil mar fhear céile agus mar bhean chéile?"

"Beidh."

"Tugaim cuireadh daoibh mar sin dearbhú os comhair Dé agus na hEaglaise gurb é bhur dtoil é go ndéanfaí fear céile agus bean chéile díbh."

D'fhéach Pat idir an dá shúil ar Bhiddy agus d'fhiafraigh di i nglór caoin, "A Bhiddy, an toil leatsa bheith i do bhean chéile agamsa?"

"Is toil", arsa Biddy agus tocht ina glór. "A Phat, an toil leatsa bheith i do fhear céile agamsa?"

* móideanna pósta *marriage vows*

* de bhur ndeoin féin *of your own free will*

"Is toil, cinnte. Glacaim leat mar bhean chéile agus bronnaim mé féin ort mar fhear céile."

"Glacaim leat mar fhear céile agus bronnaim mé féin ort mar bhean chéile", arsa Biddy agus na deora ag teacht léi.

Ansin dúirt an bheirt acu in éineacht, "chun grá a thabhairt dá chéile go dílis, más fearr sinn, más measa, más saibhir, más bocht, más tinn nó más slán, go scara an bás sinn."

Ba léir go raibh Pat mothúchánach, leis. Bhí an deoir ar an tsúil aige agus é ag féachaint ar Bhiddy go grámhar.

Lean an sagart ar aghaidh ag caint. "An ní a cheanglaíonn Dia, ná scaoileadh duine é. Go neartaí Dia leis an toil atá tugtha agaibh dá chéile agus go mbronna sé go fial oraibh a bheannacht."

Thug Liam na fáinní pósta do Phat agus chuir Pat os comhair an tsagairt iad. "Go mbeannaí Dia na fáinní sin mar chomhartha bhur ngrá is bhur ndílseacht."

"A Bhiddy, caith an fáinne seo mar chomhartha ár ngrá agus ár ndílseacht. In ainm an Athar agus an Mhic agus an Spioraid Naoimh."

Rinne Biddy na focail chéanna a rá agus fáinne á chur ar mhéar Phat aici. Ba é Pat anois a bhí ag sileadh na ndeor agus rinne Biddy súil a chaochadh air go cineálta.

I ndiaidh an Aifrinn chuaigh an lánúin nuaphósta agus slua daoine eile go dtí óstlann a bhí cóngarach don séipéal i gcomhair béile.

Agus an óstlann bainte amach rinne beagnach gach duine

a bhí i láthair sa séipéal comhghairdeas a dhéanamh le Biddy agus Pat is gach sonas a ghuí orthu. Thug sé uchtach do Bhiddy go ndúirt an-chuid daoine gur thaitin an ghné Ghaeilge den Aifreann go mór leo.

D'inis cara le Liam do Bhiddy go mbeadh sé féin ag pósadh sula i bhfad is go mba mhaith leis go ndéarfaí roinnt den Aifreann as Gaeilge. Cuireadh gliondar an domhain ar Bhiddy nuair a chuala sí é sin. Samhlaíodh di go raibh a cion féin á dhéanamh aici chun an Ghaeilge a chur chun cinn. Samhlaíodh di nár ghá ach an sampla a thabhairt do dhaoine agus dhéanfadh siad amhlaidh.

Bhí *mearbhall i gceann Bhiddy ó thús deireadh an Aifrinn agus níor thug sí faoi deara cé go díreach a bhí i láthair sa séipéal is cé nach raibh. Bhí roinnt daoine a chuir ionadh uirthi mar sin nuair a chonaic sí san óstlann iad. Bhí Nóirín, deirfiúr a fir mhairbh, ar na daoine sin. Bhí cuireadh curtha ag Biddy chuici ach bhí Nóirín ar aon tuairim le Liam go raibh Biddy ag pósadh go ró-thapa i ndiaidh an bháis.

Shíl Biddy mar sin nach bhfeicfeadh sí a deirfiúr chéile in aon chor an lá seo. Ach bhí sí i láthair ag an Aifreann pósta agus ag an mbainis i dteannta a fir chéile. Ba mhór an faoiseamh é do Bhiddy nach raibh olc ag Nóirín di as an gcinneadh a bhí déanta aici.

Ach ba é ba mhó a thug faoiseamh do Bhiddy ag an mbainis ná go ndúirt Liam go raibh brón air as na focail ghoilliúnacha a scinn óna bhéal nuair a fuair sé amach faoin bpósadh.

* bhí mearbhall ina ceann
her head was reeling

"Tá náire orm gur labhair mé chomh tútach sin libh, a Mhamaí, tá súil agam go maithfidh sibh dom é. Ach tháinig scéal an phósta gan aon choinne in aon chor agus shíl mé go raibh dearmad déanta agat ar Dhaid. Tuigim nach mar sin atá an scéal dáiríre, ach ba é sin an chéad rud a rith liom."

"Ní gá maithiúnas a iarraidh, a stór. Tuigim a cheanúla a bhí tú ar do athair. Tá a fhios agam nár theastaigh uait mé a ghortú. Scinneann focail ghoilliúnacha uainn go léir ó am go chéile. Ná bí buartha, ní bheidh aon olc agam féin ná ag Pat duit. Is féidir leat bheith cinnte de sin."

Rug máthair is mac barróg mhuirneach ar a chéile agus tháinig na deora le Liam. "Go bhfóire Dia orainn, tá an chuma ar an scéal go mbeidh deoir silte ag cách anseo sula mbeidh an lá istigh", arsa Biddy agus í ag déanamh grinn.

Níl aon *suáilce gan a duáilce féin, áfach, agus má bhí ardú meanman sa méid a bhí le rá ag Liam cuireadh díomá ar Bhiddy nuair a chonaic sí go raibh Mánas Ó Foghlú i láthair agus aoi ina theannta.

Ní go ró-mhór a chuir sé isteach uirthi go raibh Mánas tar éis teacht. Bhí cuireadh faighte aige agus bhí Liam is Áine an-mhór leis. Ach ba bheag nár thit Biddy as a cathaoir nuair a chonaic sí go raibh an Stróinéisí in éineacht leis.

Agus an bheirt acu ag tarraingt ar an lánúin nuaphósta chun comhghairdeas a dhéanamh leo dúirt Biddy i gcogar le Pat, "Ó Íosa Críost, féach cé atá os ár gcomhair amach! In ainm Dé, cén fáth ar thug Mánas an rálach sin anseo?"

"Cuir srian le do theanga, a thaisce, is léir go bhfuilimid ag caint mar gheall orthu. Níl sé sin ró-mhúinte", arsa Pat i gcogar lena bhean nua.

* níl aon suáilce gan a duáilce féin *with the good comes the bad*

"Nach ndúirt mé leat, a Phat, nach dteastaíonn ón rálach sin ach dul faoin mbraillín le Mánas. Bhuel, tá an chuma ar an scéal go bhfuil ag éirí léi. Is trua nár thug sé Cáitín leis, ach is dócha go mbeadh sise ró-óg."

"Tá tú ag déanamh áibhéile, a thaisce. Shíl Mánas gurbh fhearr aoi a thabhairt leis agus chonacthas dó gur aoi oiriúnach í Samantha. Níl níos mó ná sin i gceist. Tá sí cainteach agus taitníonn sí le daoine. Sin an t-aoi is fearr is féidir a fháil."

"Bhuel, ní thaitníonn sí liomsa", arsa Biddy go diongbháilte.

Shroich Mánas is an Stróinéisí suíocháin na lánúine nuaphósta díreach agus na focail sin á rá ag Biddy.

"Tá súil agam nach orm atá tú ag trácht", arsa Samantha agus í ag gáire in ard a gutha.

Ní dhearna Biddy aon fhreagra a thabhairt, áfach agus rinne Pat iarracht labhairt ar ábhar eile.

"Táimid thar a bheith buíoch díbh gur tháinig sibh inniu. Ba mhaith uaibh é."

"Tá áthas an domhain orainn bheith anseo", arsa Mánas, lámh á croitheadh le Pat aige agus póg á tabhairt do Bhiddy aige, "déanaimid comhghairdeas leis an mbeirt agaibh."

"Mar a deirimid as Gaeilge ag na hócáidí seo, '*sliocht sleachta ar shliocht bhur sleachta', nó 'rath na raithní oraibh'. Nach nathanna breátha iad sin?" arsa Samantha.

D'fhéach Pat is Biddy ar an Stróinéisí gan focal a rá. Ní ró-oiriúnach a bhí beannachtaí den saghas sin agus breis is caoga bliain ag an mbeirt acu.

---

* sliocht sleachta ar shliocht bhur sleachta, rath na raithní ort
May you have descendants

Ba léir do Mhánas go raibh rud *tuathalach ráite ag Samantha agus ba eisean anois a rinne iarracht labhairt ar ábhar eile.

"Bhuel, tá súil agam go mbainfidh sibh taitneamh as an gcuid eile den lá. Ba chóir dom a rá gur thaitin an tAifreann dátheangach go mór liom. Bhí Gaeilge bhlasta ag an sagart. Is trua nach mbíonn Aifreann pósta den saghas sin ag níos mó daoine. Dála an scéil, b'fhéidir go n-éireoidh leat Pat a thabhairt ar ais go dtí an rang Gaeilge, a Bhiddy. Ba chóir duit níos mó smachta bheith agat air anois agus sibh pósta!"

"Níl a fhios agam faoi sin, a Mhánais, níl sé go hiomlán faoi m'ordóg agam go fóill, ach déanfaidh mé mo dhícheall!"

"Ach dáiríre píre", arsa Mánas agus é ag labhairt le Pat, "ba chóir duit do mhachnamh a dhéanamh air. Bhí an-dul chun cinn á dhéanamh agat. Bheadh fáilte agus fiche romhat dá mba mhaith leat teacht ar ais."

"Níl go leor ama agam chun bheith macánta, a Mhánais. Bím ag obair sa siopa beagnach seacht lá in aghaidh na seachtaine."

"Ach níl i gceist ach uair an chloig in aghaidh na seachtaine, a Phat. Ná habair liom nach bhféadfá uair an chloig a thabhairt don Ghaeilge gach seachtain."

"Déanfaidh mé mo mhachnamh air mar sin", arsa Pat agus é ag iarraidh deireadh a chur leis an ábhar cainte seo.

"An-mhaith mar sin", arsa Mánas, "is cinnte go bhfuil a lán daoine eile anseo inniu a bheidh ag súil labhairt libh. Ba chóir dúinn slán a fhágáil agaibh. Feicfimid arís sibh."

* tuathalach *tactless*

Lig Biddy osna fhada dhomhain agus Mánas is a aoi imithe as raon cluas.

"Admhaím go mbíonn an cailín sin geabanta", arsa Pat agus lámh Bhiddy á fáscadh aige.

"Níor theastaigh ón óinseach sin ach taispeáint do Mhánas a fheabhas agus atá an Ghaeilge aici. Is cuma léi gur labhair sí go tuathalach."

"Éirigh as a mhuirnín. Tá taitneamh le baint as an lá seo. Ná cuirimis ár gcuid ama amú ag caint faoi rudaí beagthábhachtacha", arsa Pat le Biddy.

"Tá an ceart agat, a stór, tá an ceart agat."

Chuir an bheirt acu a lámha le chéile is lig Biddy osna sásaimh. Bhí tús curtha aici le saol nua.

Caibidil 5

Breith gharmhac Bhiddy

Dhá mhí i ndiaidh na bainise saolaíodh mac do Liam is Áine. Bhí Liam le hÁine nuair a bhí an bhreith ar siúl agus bhí Biddy is Pat ag feitheamh san *fheithealann san ospidéal agus iad ar bís.

Tháinig Liam amach go dtí an fheithealann tar éis na breithe. Bhí aoibh an gháire air agus bhí sé soiléir go raibh idir ghliondar is bhród air agus é ina athair den chéad uair.

"Tá Naoise Ó Laoghaire tagtha ar an saol go slán sábháilte. Tá garmhac ort anois, a Mhamaí."

Lig Biddy osna faoisimh agus tháinig na deora léi. Rinne Pat lámh a chroitheadh le Liam is rug an triúr acu barróg ar a chéile.

"Conas atá Áine, a stór?" arsa Biddy agus a súile á dtriomú aici.

"Tá sí ag déanamh go maith, a Mhamaí, ach tá sí thar a bheith tuirseach. Ní haon *dóithín é deich n-uaire a chaitheamh i dtinneas clainne."

* feithealann *waiting-room*

* ní haon dóithín é *it's no joke*

"Tá a shárfhios agam sin, a stór, ní gá é sin a rá liom in aon chor. Tá taithí mhaith agam ar an saghas oibre sin. Sin an tslí a tháinig tú féin ar an saol."

"Ní thuigeann na fir an obair chrua a dhéanann na mná", arsa Pat, lámh Bhiddy á teannadh aige agus súil á caochadh aige ar Liam.

"Tá an ceart agat, a Phat. Déanann mná rudaí nach bhféadfadh aon fhear ar dhroim an domhain a dhéanamh. Is cinnte nach mbeinn féin in ann cur suas leis an bpian a d'fhulaing Áine inniu."

"Is féidir liom a rá libh, a fheara, nach é breith linbh ach tús na trioblóide. Beidh pian i bhfad níos géire le fulaingt ag Áine sna blianta amach roimpi agus an leanbh á thógáil aici. Tá *crá croí agus buaireamh intinne i ndán di. Agus duit féin, leis, a mhic."

"Och, a Mhamaí, níl aon ghá le rabhadh den saghas sin. Is lá speisialta é seo, ní cóir bheith diúltach."

"Ní diúltach atáim in aon chor, a stór. Nílim ach ag caint go réadúil."

B'fhearr le Liam gan smaoineamh ar na hoícheanta gan chodladh a bhí i ndán dó sa todhchaí agus thosaigh sé ag caint le Pat.

"Bhuel, a Phat, tá tú i do sheanathair anois. Chonacthas dom riamh gur daoine iad seanaithreacha is seanmháithreacha atá *craptha is cromtha leis an aois. Ach níl cuma chomh aosta sin ortsa."

Gheal caint Liam croí Phat. Thuig sé ó na focail sin go raibh Liam ag glacadh leis mar bhall den teaghlach, mar

* crá croí *heartbreak*

* craptha agus cromtha le haois
shrunk and bent with age

athair is mar sheanathair.

"Tá mé faoi chomaoin agat as na focail chineálta sin, a Liam, ach measaim nach bhfuil tú ach ag plámás liom. Is léir ón mothall liath gruaige atá ar bharr mo chinn go bhfuil mo *chúlfhiacla curtha go maith agam."

"Ná bí ag déanamh áibhéile, a mhuirnín", arsa Biddy agus í ag teacht roimh Phat, "táimid araon óg go leor fós agus le cúnamh Dé beidh an tsláinte againn sna blianta amach romhainn le go mbeimid in ann taitneamh a bhaint as an saol is aithne a chur ar ár ngarmhac."

"Is trua nach gcuirfidh an bheirt seantuismitheoirí eile aithne ar a ngarmhac", arsa Liam agus díomá ina ghlór.

"Ná bí chomh dian sin ar thuismitheoirí Áine, a Liam. Is daoine tuaithe iad. Tá siad simplí agus *coimeádach agus tá sé deacair orthu glacadh leis gur saolaíodh leanbh do Áine agus í gan bheith pósta. Baineann siad le domhan eile ar fad. Is cinnte go bhfuil iarracht den náire orthu agus chuirfinn geall go bhfuil eagla orthu go mbeidh na comharsana ag *cúlchaint orthu. Ach tiocfaidh siad ar athrú tuairime i gceann na haimsire. Is féidir *talamh slán a dhéanamh de go mbeidh siad ar bís aithne a chur ar a ngarmhac."

"B'fhéidir go bhfuil an ceart agat, a Mhamaí, ach bhí an toircheas is an bhreith deacair go leor ar Áine. Agus anuas air sin go léir bhí a tuismitheoirí míshásta léi. Ghoill an easpa tacaíochta sin go croí uirthi. Agus pé olc a bhí acu do Áine, bhí sé dochreidte nár tháinig siad go dtí an t-ospidéal nuair a chuir mé glao gutháin orthu ar maidin. Ní foláir nó go bhfuil siad fuarchroíoch amach is amach gur fhan siad amach óna leanbh féin ar lá chomh tábhachtach leis seo."

---

*go bhfuil mo chúlfhiacla curtha go maith agam *that I'm no spring chicken*

*coimeádach *conservative*

*is féidir talamh slán a dhéanamh de *it can be taken for granted*

*ag cúlchaint orthu *backbiting them*

"A Liam, a stór, tá tú ag dul thar fóir. Tá siad ina gcónaí i bhfad ón áit seo. Fiú dá dtabharfaidís an lá ar fad ag tiomáint thar an *teorainn luais ní bhainfidís an t-ospidéal amach in am. Agus is daoine aosta anois iad. Tá roinnt mhaith blianta acu ormsa agus ar Phat. Ná déan dearmad gur rugadh Áine dóibh agus daichead bliain acu araon. Is dá dheasca sin nár tháinig siad go dtí an t-ospideál inniu, agus ní toisc go bhfuil siad míshásta le hÁine, deirimse leat."

"Tá súil agam go bhfuil an ceart agat, a Mhamaí, ar mhaithe le hÁine. Tá an-díomá uirthi nach bhfuil a tuismitheoirí anseo anois. Bheadh sí sáraithe go hiomlán dá gceapfadh sí nach mbeidh teagmháil acu le Naoise."

"Ná bíodh lá amhrais ort, a mhic, tiocfaidh siad a luaithe is féidir. Ach is ualach mór é an aois. Tuigfidh tú féin é sin lá éigin."

"A Bhiddy, a stór, caithfimid bheith ag imeacht anois, tá orm dul ar ais go dtí an siopa mar níl Tomás in ann an áit a chur faoi ghlas ina aonar go fóill", arsa Pat agus lámh á cur ar ghualainn Bhiddy aige.

"Cé hé an Tomás seo," arsa Liam go fiosrach.

"Sin an Síneach a luaigh mé leat le déanaí, a stór. Thosaigh sé ag obair i Siopa Phat tuairim is coicís ó shin ach ní raibh éinne in ann a ainm Síneach a rá i gceart, tá sé chomh casta sin agus is é Tomás a thugann gach einne anois air! Is buachaill breá é, oibríonn sé go dian agus réitíonn go sármhaith leis na custaiméirí, nach réitíonn, a Phat?"

"Réitíonn, cinnte. Cé nach bhfuil siadsan in ann a ainm Síneach a fhuaimniú tá ainmneacha na gcustaiméirí rialta

* teorainn luais *speed limit*

go léir de ghlanmheabhair aige. Nuair a thagann siad isteach sa siopa déanann sé comhrá leo mar a bheadh trí scór bliain aige agus seanaithne aige orthu. Ní ionadh go bhfuil siad éirithe an-cheanúil air, go háirithe na seanmhná. Tá súil agam go bhfanfaidh sé. Bheinn i dtrioblóid dá n-éireodh sé as, bheadh na custaiméirí thar a bheith míshásta liom!"

"Is maith an rud é go nglacann na custaiméirí leis. Is minic a chloisim gearáin ó Éireannaigh faoi na hinimircigh a bhíonn ag obair i dtithe tábhairne is i mbialanna," arsa Liam.

"Agus cén fáth nach nglacfaidís leis? Tá sé níos Éireannaí ná na hÉireannaigh féin ar bhealach," arsa Biddy go *cosantach, "an gcreidfeá é go bhfuil roinnt Gaeilge aige?"

"Chreidfinn, a Mhamaí, chreidfinn. Nach bhfuil eagraíocht ann anois a bhunaigh inimiricigh a bhfuil Gaeilge acu? iMeasc is ainm don eagraíocht, muna bhfuil dearmad orm. B'fhéidir go bhfuil Tomás féin ina bhall de."

"Níl tuairim agam an bhfuil nó nach bhfuil," arsa Biddy, "níl Gaeilge líofa aige, ná geall leis, ach tá cúpla focal aige agus níl aon drogall air na focail sin a úsáid. Faighim Foinse is Lá sa siopa ó am go chéile agus iarrann sé orm brí na gceannlínte a mhíniú dó agus *breacann sé síos na focail úsáideacha i gcóipleabhar beag. Deirimse libh, ní fada go mbeidh níos mó Gaeilge aige ná mar atá agam féin."

"Tá tú ag dul thar fóir anois, a stór," arsa Pat go grámhar, "ach cuirimis deireadh leis an gcomhrá seo, caithfimid bheith ag bogadh linn. Sílfidh Tomás bocht go bhfuil dearmad déanta agam air."

* go cosantach *defensively*

* breacann sé síos *he jots down*

Rinne Biddy barróg a bhreith ar Liam an athuair. "Más féidir linn cabhrú libh in aon tslí abair linn, an gcloiseann tú mé? Cuirfidh mé glao ar Eoin nuair a rachaidh mé abhaile is déarfaidh mé leis go bhfuil sé ina uncail anois."

"Táim buíoch díbh araon as bhur dtacaíocht. Beimid i dteagmháil arís go luath. Beidh Áine is Naoise ag teacht abhaile roimh dheireadh na seachtaine is beidh a lán le déanamh. Táim cinnte go mbeidh fáilte roimh lámh chúnta!"

Caibidil 6

Ag lorg áit pháirceála

Bhain Biddy an chathair amach ag a hocht a chlog ar maidin. Ach in ainneoin na huaire luaithe ní raibh aon áit pháirceála le fáil. Bhí na *carr-chlósanna go léir lán agus thiomáin sí go mall síos na príomhshráideanna is suas na lánaí cúnga i gcroílár na cathrach ach bhí na háiteanna páirceála go léir líonta le gluaisteáin mhóra ghalánta. Bhí fearg ag teacht ar Bhiddy go raibh uirthi tiomáint timpeall arís agus arís eile agus chuir sí *mallacht ar úinéirí na ngluaisteán mór *faoina fiacla.

"Tá an chuma ar an scéal nach mbaineann muintir na hÉireann úsáid as busanna a thuilleadh. Is dócha go bhfuil an-iomarca airgid acu anois agus teastaíonn uathu bheith ag taisteal ina gcarranna móra *spiagaí. Ach in ainm Dé, má theastaíonn ó mhuintir an Tíogair Cheiltigh carranna bheith acu, nach féidir leis an Tíogar Ceilteach go leor áiteanna páirceála a chur ar fáil dóibh?"

Agus Biddy ag caint os ard léi féin shiúil fear gorm anuas ón gcosán i dtreo an ghluaisteáin is chuir sé a lámh san aer

* carr-chlósanna *car parks*
* mallacht *curse*
* faoina fiacla *under her breath*
* spiagaí *flashy*

mar chomhartha gur theastaigh uaidh an carr a stopadh.

Bhí Biddy ag tiomáint go mall is bhí cuma dheas ar an bhfear gorm ach baineadh geit aisti. Bhí an-chuid daoine gorma in Éirinn le breis is deich mbliana anuas ach níor labhair Biddy riamh le duine díobh. Bhí sí ábhairín neirbhíseach. Rinne sí deimhin de go raibh doirse an chairr faoi ghlas sular stop sí.

Tháinig an fear gorm suas go dtí doras Bhiddy. Thug Biddy *faonoscailt bheag ar an bhfuinneog is d'fhéach sí go scáfar ar an bhfear ard *slinneánach os a comhair amach.

"Chonaic mé go raibh tú ag caint leat féin. An bhfuil gach rud i gceart? Níl tú craiceáilte, an bhfuil?", arsa an fear gorm agus gáire croíúil á dhéanamh aige.

Dhearg Biddy go bun na gcluas. "Ní hé go raibh mé ag caint liom féin, ach tá áit pháirceála á lorg agam le leathuair an chloig agus chun an fhírinne a rá tá dóiteacht ag teacht orm."

"Tuigim duit, a chailín, tuigim duit", arsa an strainséir mar a bheadh seanaithne aige ar Bhiddy, "ach bheadh ort bheith istigh sa chathair go maith roimh a seacht a chlog ar maidin dá mba mhaith leat áit pháirceála a fháil."

"Nach bhfuil sé sin áiféiseach", arsa Biddy go díchreidmheach, "ach is annamh a thagaim isteach go dtí an chathair, ní bheadh a fhios agam faoi na rudaí seo."

"Bhuel, nílim ag iarraidh saol na cathrach a mhíniú duit", arsa an fear gorm agus gáire doimhin croíúil á dhéanamh aige an athuair, "bhí sé soiléir go raibh áit pháirceála á lorg agat agus níor theastaigh uaim ach a rá leat go bhfuil mé

---

* thug sí faonoscailt bheag air
she opened it a crack

* slinneánach *broad-shouldered*

féin díreach chun triall ar chearn eile den chathair chun *seachadadh a dhéanamh agus is féidir leat m'áit a thógáil. Sin mo veain", ar seisean agus a mhéar á síneadh i dtreo veain móire *meirgí, "mar sin beidh go leor spáis don charr beag seo."

"Táim fíor-bhuíoch díot as sin, tá tú an-chineálta. Murach tusa, seans go mbeadh orm filleadh abhaile gan aon rud a cheannach inniu."

"Ná habair é, a chailín, tuigim a dheacra a bhíonn sé áit pháirceála a fháil san áit seo."

Rinne Biddy a buíochas a ghabháil leis an bhfear gorm arís ach dúirt sí cúpla focal as Gaeilge an babhta seo.

"Tá fáilte romhat. Tabhair aire duit féin", ar seisean agus súil á caochadh aige ar Bhiddy.

Baineadh siar as Biddy gur as Gaeilge a labhair an strainséir léi ach sula raibh sí in ann aon rud eile a rá leis bhí sé istigh ina veain agus é ag *cúlú as an áit ina raibh sé páirceáilte.

Agus an carr curtha faoi ghlas ag Biddy *rinne sí caol díreach ar Shiopa na Gaeilge. Theastaigh uaithi leabhar a mhol Mánas di a cheannach agus mheas sí go gceannódh sí leabhar a bheadh oiriúnach do Áine mar mháthair linbh nuabheirthe chomh maith.

Bhrúigh Biddy isteach an doras. Ní raibh aon chustaiméir eile istigh sa siopa agus bhí an áit an-chiúin i gcomórtas le fothram na sráide lasmuigh.

Bhí bliain imithe ó thug Biddy cuairt ar Shiopa na Gaeilge den chéad uair agus bhí leathbhliain imithe ó casadh

---

* seachadadh *delivery*

* meirgeach *rusty*

* ag cúlú *reversing*

* rinne sí caol díreach air *she made straight for*

Cáitín uirthi i gCaife Nuala. B'fhéidir nach raibh Cáitín fós ag obair san áit. D'fhéach sí timpeall an tsiopa. Ní amháin nach raibh aon chustaiméirí ann, ach chonacthas do Bhiddy nach raibh aon fhreastalaí ann ach oiread.

"Haló, an bhfuil éinne anseo?", arsa Biddy agus í ag siúl i dtreo an chuntair.

"Tá, táim féin anseo, mar is gnách, bhí orm dul siar go dtí an stóras ar feadh soicind."

Tháinig Cáitín amach as seomra i gcúl an tsiopa.

"A Bhiddy, conas atá tú? Is fada ó bhí tú istigh chugam. Cad a thugann anseo tú?"

"Táim cuíosach gan bheith maíteach, a Cháitín," arsa Biddy agus gáire á dhéanamh aici leis an bhfreastalaí. "Táim anseo mar gur mhol Mánas dom 'Gaeilge agus Fáilte' le hAnnette Byrne a cheannach. Tá sé foilsithe ag Institiúid Teangeolaíochta Éireann. Dúirt Mánas go mba chóir go mbeadh sé ar fáil anseo."

"Tá cinnte, tá a lán cóipeanna den leabhar sin againn, tá an-tóir air. Taispeánfaidh mé duit an tseilf ar a bhfuil sé."

Thug Biddy faoi deara nár tháinig sceitimíní ar Cháitín nuair a luaigh sí ainm Mhánais an babhta seo.

"Dealraíonn sé nach bhfuil tú chomh ceanúil ar Mhánas is a bhí tú, a Cháitín, an bhfuil an ceart agam?"

Chuir Cáitín gruig uirthi féin.

"Och, a Bhiddy, is scéal uafásach é sin. Fan nóiméad, cuirfidh mé an doras faoi ghlas agus rachaimid isteach go dtí an seomra foirne is beidh cupán tae againn. Inseoidh mé an scéal ar fad duit. Is é sin, má tá an t-am agat."

"Ó tá go leor ama agam maith go leor, a Cháitín, ach nach mbeidh tú i dtrioblóid má fhaigheann úinéir an tsiopa amach gur dúnadh an siopa chomh luath sin?"

"Ní bheidh in aon chor. Is beag duine a thagann isteach ag an am seo den mhaidin. *Murab ionann is tusa, ní *mochóirí gach duine! Pé scéal é, cloisfimid éinne a bhuailfidh cnag ar an doras. Tá an áit seo ciúin go leor."

---

* murab ionann is tú *unlike you*

* mochóirí *early riser*

Caibidil 7

An Buachaill Báire

Chuir Cáitín málaí tae sa dá chupán a bhí ar an mbord is líon sí na cupáin le huisce fiuchta.

"Tá bainne sa chrúiscín sin os do chomhair amach, a Bhiddy, ach níl aon siúcra agam, is oth liom a rá."

"Is maith an rud é sin. Táim ag iarraidh staonadh ón siúcra faoi láthair. Is minic a *ghéillim don chathú má bhíonn an siúcra faoi mo láimh ach ní tharlóidh sé sin ar maidin!"

"Bhuel a Bhiddy, cad is féidir liom a rá leat?" arsa Cáitín agus í ag séideadh ar an gcupán tae a bhí ró-the.

"Is féidir leat a rá liom cén fáth nach bhfuil tú chomh ceanúil ar Mhánas is a bhíteá", arsa Biddy agus bainne á dhoirteadh ina cupán tae aici.

"Ceart go leor, mar sin", arsa Cáitín agus í ag labhairt os íseal cé nach raibh éinne eile sa seomra leo.

"Admhaím go hoscailte go raibh cion agam ar Mhánas ón tús. Chuir mé aithne air nuair a thosaigh mé ag obair

* géillim don chathú *I give in to the temptation*

anseo i Siopa na Gaeilge ceithre bliana ó shin. Bhí ceithre bliana déag agam ag an am, bhí mé cúthail agus ní raibh aon mhuinín agam asam féin. Thagadh Mánas isteach go minic chun leabhair a cheannach nó chun téacsleabhair dá dhaltaí a ordú. Thaitin sé liom láithreach bonn. Bhí sé cainteach *deisbhéalach agus, ar ndóigh, mheas mé go raibh sé dóighiúil dea-chumtha."

Rinne Biddy a ceann a chroitheadh go mall smaointeach le cur in iúl do Cháitín go raibh sí ag éisteacht léi go cúramach is go raibh tuiscint aici di. Ach ba é fírinne an scéil nach ró-mhaith a thuig sí cás Cháitín. Bhí breis is tríocha bliain aici ar an gcailín óg seo agus ní raibh aon taithí aici ar na fadhbanna a bhíonn ag cailíní sna déaga. Rugadh beirt mhac di agus bhí sí buíoch de sin agus caint Cháitín á cloisteáil aici. Mheas sí an scéal bheith ábhairín beag amaideach ach rinne sí a dícheall gan é sin a thabhairt le fios do Cháitín.

"Samhlaíodh dom go raibh an t-ádh dearg orm go raibh an fear breá cliste seo ag teacht isteach chugainn chomh minic sin. De ghnáth thagadh sé isteach ar an Aoine timpeall a cúig a chlog agus dhéanainn mo dhícheall deimhin a dhéanamh de go mbeinn ag obair ar an Aoine tar éis na scoile. Fiú nuair nach mbínn ag obair ar an Aoine, liginn orm go raibh rud éigin dearmadta agam anseo is thagainn isteach timpeall a cúig ag súil go gcasfainn ar Mhánas.

"*Mar bharr ar an ádh, thaitin mé le Mánas. Ba léir gur chuir sé suim ionam."

*Bhioraigh Biddy a cluasa. B'fhéidir go raibh níos mó sa scéal seo ná mar a chonacthas di.

* deisbhéalach *witty*

* mar bharr ar an ádh *as luck would have it*

* bhioraigh sí a cluasa *she cocked her ears*

“Ar dtús ní deireadh sé ach na gnáthrudaí a deir daoine fásta le cailíní, gur cailín álainn mé, go bhfuil sé cinnte go bhfuil tóir ag an-chuid buachaillí orm, an saghas ruda a chloisfeá ó aintíní is uncailí.

“Ach le himeacht na haimsire thosaigh sé ag rá go bhfuilim ag éirí i mo bhean *chruthúil is go mba bhreá leis cailín de mo leithéid bheith aige. Nuair a bhí sé bliana déag agam d’fhiafraigh sé díom cén aois a bhí agam. Dúirt sé nach raibh ach dhá bhliain fágtha sula mbeimis in ann siúl amach le chéile.”

“Agus an dáiríre a bhí sé?”, tháinig Biddy roimh Cháitín.

“Chun an fhírinne a rá, a Bhiddy, ní raibh mé féin cinnte. Mheas mé ag an am nach raibh sé ach ag déanamh grinn, go raibh sé ag iarraidh bheith cineálta. Ach bhí *cluaisíní croí orm go raibh na rudaí seo á rá aige, pé fíor bréagach iad.”

“Tuigim duit, a Cháitín, is beag duine nach dtugann cluas don mhilseacht chainte. Ach lean ort ag caint. Mo leithscéal gur tháinig mé romhat.”

“Bhuel, shlánaigh mé ocht mbliana déag cúig mhí ó shin agus mar a dúirt mé leat nuair a chas mé ort i gCaife Nuala luaigh mé an bhreithlá seo le Mánas agus é istigh sa Siopa. Dúirt sé go bhféadfaimis dul amach le chéile ar deireadh thiar thall. D’iarr sé m’uimhir ghutháin orm is dúirt go mbeadh sé i dteagmháil is go ndéanfaimis rud éigin chun an lá mór a cheiliúradh. Bhí ionadh an domhain orm go raibh coinne déanta ag Mánas liom ach ag an am céanna bhí lúcháir orm go mbeinn ag dul amach áit éigin le fear fásta agus gan mé ach i mo dhalta meánscoile.”

* bean chruthúil *shapely woman*

* bhí cluaisíní croí orm *I was overjoyed*

Bhain Biddy súimín as a cupán tae is rinne sí na malaí a chruinniú. Bhí eagla uirthi go mbeadh deireadh *mí-ámharach ar scéal Cháitín.

"Fuair mé glao gutháin ó Mhánas cúpla lá i ndiaidh mo bhreithlae is shocraíomar go rachaimis go dtí an phictiúrlann tráthnóna Dé hAoine. Deirimse leat, a Bhiddy, bhí sceitimíní orm. Ní dheachaigh mé riamh go dtí an phictiúrlann le buachaillí ar comhaois liom, gan trácht ar fhear fásta tarraingteach."

"Ní hionadh ar bith é sin, a leanbh", arsa Biddy agus an braon deiridh tae slogtha siar aici.

"Pé scéal é, bhuaileamar le chéile lasmuigh den phictiúrlann. Bhí Mánas ann go pointeáilte ag an am a socraíodh agus thug sé póg ar an leiceann dom nuair a tháinig sé suas chugam. B'fhéidir go bhfeicfear duit nach bhfuil ionam ach cailín óg *breallánta, a Bhiddy, ach nuair a thug sé an phóg sin dom thosaigh mo chroí ag bualadh go tapa is ruaimnigh m'aghaidh. Bhí boladh breá fearúil uaidh, bhí sé ag féachaint go hálainn, och, chonacthas dom go raibh mé ar neamh."

"Níor thuig mé gur buachaill báire é Mánas", arsa Biddy agus gruig uirthi.

"Á, a Bhiddy, ní thuigeann tú a leath. Díreach agus póg tugtha aige dom, d'fhéach sé síos suas orm agus dúirt sé rud a bhain siar asam. Bhí sciorta gearr á chaitheamh agam agus dúirt sé go mbeadh gníomhartha na hoíche níos éasca buíochas leis an sciorta."

Lig Biddy *uspóg scéine aisti. Dá mbeadh an cupán fós ina glac aici bheadh sé tite ar an urlár. "An seanrud salach",

* mí-ámharach *unfortunate*
* breallanta *silly*
* uspóg scéine *a gasp of terror*

arsa Biddy i nglór díchreidmheach.

Lean Cáitín uirthi. "Ní shamhlóinn an chaint *bhrocach le Mánas choíche. Mheas mé mar sin gur ag magadh a bhí sé. Rinne mé beag de i m'aigne féin is chuamar isteach go dtí an phictiúrlann. Shuíomar sa tsraith chúil suíochán. Bhí lámh Mhánais sínte amach taobh thiar díom ar dhroim mo shuíocháin agus i rith an scannáin thug sé póg eile ar an leiceann dom. Bhain sé sin siar asam chomh maith ach nuair a d'fhéach mé air ní dhearna sé ach súil a chaochadh orm is lean sé air ag féachaint ar an scáileán. Cé gur mheas mé nach raibh sé a iompar go díreach mar ba chóir, níor scinn focal cáinteach ó mo bhéal. Thuig mé ón gcaochadh súile nach raibh sé ach ag rógaireacht liom agus pé scéal é, thaitin na póga go mór liom."

Bhí idir uafás is alltacht ar Bhiddy. Ní raibh aon mheas aige anois ar Mhánas. Ní amháin nár mhúinteoir maith é, thuig sí anois nár dhuine maith é ach oiread.

"Agus sinne tagtha amach as an bpictiúrlann chuir Mánas in iúl dom go rachaimis ar ais go dtí a theach féin is go ndéanfadh sé béile breá blasta dom chun mo bhreithlá a cheiliúradh i gceart. Bhí drogall orm é sin a dhéanamh. Bhí sé ag dul anonn sa lá is bheadh sé ró-dhéanach bus a fháil abhaile dá rachainn go Baile Uí Laoghaire, an áit ina bhfuil cónaí ar Mhánas. Ach mhaígh sé nach nglacfadh sé *eiteach uaim is gheall sé go dtabharfadh sé síob abhaile dom nuair a bheadh an béile ite againn."

"Nach bithiúnach críochnaithe é", arsa Biddy agus fearg ag teacht uirthi, "cluain á cur aige ar chailín óg soineanta. Tá sé mímhorálta."

* caint bhrocach *smutty talk*

* nach nglacfadh sé eiteach uaim *that he wouldn't take no for an answer*

"Fan go gcloisfidh tú mar a chríochnaigh an scéal. Bhaineamar teach Mhánais amach timpeall leathuair i ndiaidh a hocht. Thug sé gloine fíona dom is chuir sé os comhair an teilifíseáin mé agus an béile á ullmhú aige. Tar éis tamaill ghlaoigh sé chun boird mé agus bhí bia den chéad scoth os mo chomhair amach. Shuigh mé síos agus iontas orm. Ghabh mé mo bhuíochas leis as iarracht chomh mór sin a dhéanamh. An freagra a bhí aige air sin ná gurbh eisean a bheadh buíoch díom roimh dheireadh na hoíche. Ba chóir dom bheith *ar m'fhaichill agus an méid sin ráite aige ach níor thuig mé i gceart cad é a bhí ar intinn aige. Nach óinseach chruthanta mé?"

Bhí eagla an domhain ar Bhiddy go mbeadh críoch uafásach ar an scéal seo. Thosaigh sí ag croitheadh a cinn amhail is nár theastaigh uaithi éisteacht leis an gcuid eile den scéal.

"Thosaíomar ag ithe agus ag comhrá mar sin. Bhain mé an-sult as an mbia, agus as an bhfíon - níor luaithe súimín bainte agam as an ngloine ná go raibh sí líonta go béal ag Mánas. Mar a deirtear, *sceitheann fíon fírinne agus níl rún, eagla ná *uaillmhian de mo chuid nár nocht mé do Mhánas agus sinne ag bord le chéile an oíche sin.

"Agus ár ndóthain ite againn bhogamar go dtí an seomra suí. Bhuail mé fúm ar an tolg os comhair an teilifíseáin agus mé chomh líonta le frog fómhair. Shuigh Mánas síos in aice liom. Bhí níos mó alcóil ólta agam ná aon uair eile roimhe sin ach is cuimhin liom go díreach cad a tharla. Chuir Mánas a lámh ar mo ghlúin is sháigh sé a theanga isteach i mo bhéal."

---

* ar m'fhaichill *wary*

* sceitheann fíon fírinne *in vino veritas*

* uaillmhian *ambition*

Dhún Biddy a súile is chrom sí a ceann gan focal a rá. Bhí sí bán san aghaidh.

"Chuir mé liú scanraidh asam a mhúsclódh na mairbh is thug mé sonc géar sa bholg do Mhánas. Chuir sé sin *saothar anála air is d'fhéach sé orm amhail is dá mbeinn as mo mheabhair. 'An bhfuil tú tar éis do intinn a athrú?', is ea a d'fhiafraigh sé díom. D'inis mé dó nár thuig mé cad é a bhí i gceist aige. Nuair a fuair sé an anáil leis rinne sé gáire searbh fonóideach is *thug sé aghaidh a chaoraíochta orm.

'Nach *raiteog cheart tú, ag iarraidh mé a mhealladh leis na blianta, catsúil á caitheamh agat liom aon uair a bhím istigh i Siopa na Gaeilge. Ní amháin sin ach deir tú liom go bhfuil ocht mbliana déag bainte amach agat le go ndéanfaidh mé coinne leat agus tagann tú go dtí an phictiúrlann agus sciorta ort nach bhfuil clúdach na tóna féin ann. Agus ligeann tú ort nach dtuigeann tú cad é atá i gceist agam. Is deamhanta an raiteog tú'

"Ghoill caint ghéar Mhánais orm. Is dócha go bhfuil mé breallanta ach níor smaoinigh mé riamh ar *caidreamh collaí bheith agam leis ach bhí ciall ag baint lena raibh ráite aige. B'fhíor gur chaith mé catsúil leis gach uair a bhíodh sé istigh sa siopa. Tháinig aiféala orm go raibh míthuiscint air. Chonacthas dom gur mise a bhí ciontach leis an míthuiscint sin. Chuir mé mo lámh ar a ghualainn mar sin is d'inis mé dó go raibh brón orm go raibh sé curtha ar strae agam is nach raibh aon dochar déanta.

"D'ardaigh a mheanma agus an méid sin ráite agam. D'fhéach sé go ceanúil orm is dúirt sé, 'tá an ceart agat, a

---

* saothar anála *breathlessness*

* thug sé aghaidh a chaoraíochta orm *he roared at me in anger*

* raiteog *hussy, flirt*

* caidreamh collaí *sexual intercourse*

Cháitín, níl aon dochar déanta. Ach táimid anseo i mo theach anois. Is daoine fásta sinn araon. Taitnímid le chéile. Bheadh sé amaideach gan aon rud a dhéanamh. Fiú ní bheadh ort do chuid éadaí a bhaint díot tá do sciorta chomh oiriúnach sin don bheart.'

"Ní raibh aon amhras ná mearbhall orm an babhta seo, ba léir dom cad é a bhí i gceist aige agus chuir sé *mágra éadain orm. Dúirt mé go neamhbhalbh leis nach raibh aon seans in aon chor go rachainn faoin mbraillín leis. D'fhéach sé síos suas orm is dúirt go *graosta nach mbeadh orainn dul faoin mbraillín, go bhféadfaimis gach rud a dhéanamh ar an tolg.

"Chuir mé in iúl dó nach mbeadh aon aclaíocht den saghas sin ar siúl agam go dtí go mbeinn pósta. Sin iad na luachanna a d'fhoghlaim mé ó mo thuismitheoirí is sin é an caighdeán morálta atá agam."

"Maith thú, a chailín", arsa Biddy os íseal. Is ar éigean a bhí sí in ann an scéal go léir a chreidiúint.

"Ar ndóigh, ní dhearna an *gráiscín sin ach gáire fonóideach is dúirt sé go raibh mé chomh soineanta leis an leanbh a rugadh aréir. Mhaígh sé gur beag cailín ar comhaois liom atá fós ina maighdean. Mhaígh sé gur náireach dom é nach bhfuil aon taithí agam fós ar an gcinéal fearga agus mé in aois mná. Dar leis gur ainnir álainn chruthúil mé i mbarr m'áille is gur chóir dom taitneamh a bhaint as an saol. D'fhéach sé idir an dá shúil orm is d'inis dom go mba mhór an phribhléid dó mo mhaighdeanas a mhilleadh."

* chuir sé mágra éadain orm *it gave me the creeps*

* go graosta *sleazily*

* graiscín *foulmouthed person*

"An *drúiseach déistineach", arsa Biddy go searbh, "drochrath air."

"Ansin thosaigh sé ag déanamh *gaisce as an gcleachtadh atá aige ar an mbualadh leathair. Dúirt sé gur minic dó *caidreamh collaí bheith aige leis na foghlaimeoirí fásta a bhíonn ag freastal ar a ranganna."

"Nach nathair shuarach é", arsa Biddy le seanbhlas, "*d'fháiscfinn an muineál aige dá mbeadh sé os mo chomhair amach."

"D'inis sé dom gur gnách leis glacadh le mná óga neamhphósta mar dhaltaí mar gurb iad is mó a chuireann suim san oiliúint choirp. Ach mhaígh sé gur tharla ó am go ham gur fhreastail bean phósta mheánaosta ar na ranganna a thug toil dó chomh maith. Dar leis gur minic go mbíonn dúil ag na mná seo i bhfir óga mar go mbíonn an saol pósta leamh ó thaobh chúrsaí leapa de."

D'osnaigh Biddy is chuir sí mallacht ar Mhánas.

"Mar sin bhí taithí aige ar mhná idir óg is aosta agus dar leis go mba chóir dom buntáiste a bhaint as an taithí shaibhir sin. Óinseach a bhí ionam mura dtapóinn an deis sin."

"Ach thug tú an t-eiteach dó?", arsa Biddy agus eagla uirthi gur éirigh le Mánas ar deireadh thiar thall maighdeanas an chailín ghleoite seo a mhilleadh.

"Eiteach dearg. D'iarr mé air síob abhaile a thabhairt dom láithreach bonn is chuir mé ar a shúile dó nach mbeadh aon drannadh agam leis as sin amach."

* drúiseach *lustful person*
* ag déanamh gaisce *boasting*
* d'fhaiscfinn an muinéal aige *I would wring his neck*

Caibidil 8

Bliain na n-athraithe

D'fhan an bheirt bhan ina suí ar feadh cúpla nóiméad gan focal a rá. Bhí a ceann cromtha ag Biddy is bhí sí ag stánadh ar an urlár mar a bheadh an t-anam brúite aisti. Mheas Cáitín gur ghoill a scéal ar Bhiddy is chuir sí a lámh go caoin ar a gualainn.

"A Bhiddy, a chara, tá súil agam nach bhfuil mé tar éis tú a scanrú. B'fhéidir go bhfuil an-iomarca ráite agam. Ach ní maith liom rún a dhéanamh ar rudaí agus níl an eachtra seo go léir inste agam d'éinne eile go fóill. Theastaigh uaim é a insint le duine éigin le fada agus is mór an faoiseamh dom é go raibh mé in ann é sin a dhéanamh ar deireadh thiar thall."

"Níl aon olc agam duit, a Cháitín, ach chun an fhírinne a rá tá mé scanraithe agat maith go leor. Níor shamhlaigh mé riamh gur duine den saghas sin é Mánas. Tá sé an-mhór le mo mhac agus a chailín agus tá meas an domhain acu air. Bainfidh an scéal seo siar astu, is féidir talamh slán a dhéanamh de sin. Ní buíoch díom a bheidh siad as an fhírinne a nochtadh dóibh. Ní fheadar an mbeidh mé in ann leanúint ar aghaidh ag freastal ar ranganna Mhánais agus an scéal uafásach sin cloiste agam…"

"A Bhiddy, a chara", arsa Cáitín ag teacht roimh Bhiddy i *nglór scaollmhar, "*impím agus achainím ort, ná bog do bhéal ar an ábhar seo. Dá laghad a thaitníonn Mánas liom anois, ní theastaíonn uaim aon *díoltas a imirt air, ná a chlú a bhaint de ach oiread. Mura léir do dhaoine an saghas duine atá ann, orthu féin an locht. Ach níor mhaith liom go luafaí m'ainmse in éineacht le hainm Mhánais in aon chor. Sin an rud is tábhachtaí maidir liomsa de."

"Ach a Cháitín, is duine graosta contúirteach é, ba chóir é sin a chur ar a súile do dhaoine. Ba bheag nár *éignigh sé thú, a chréatúir."

"Á, a Bhiddy, tá tú ag déanamh áibhéile. Is duine graosta é ceart go leor, ach ní dhearna sé oiread is iarracht lag mé a éigniú. Nuair a thuig sé i gceart nach raibh aon seans go rachaimis faoin mbraillín le chéile, déirigh sé as is thug sé síob abhaile dom. Níl ann ach drúiseach, ní haon éigneoir é. Bheinn faoi *chomaoin agat mura luafá an scéal seo le héinne eile. Dá bhfaigheadh mo thuismitheoirí amach faoi ní ligfidís amach as an teach mé go dtí go mbeadh deich mbliana is dhá scór sroichte agam. Agus ní ag magadh atáim."

"Más mar sin is fearr leat é, a Cháitín, coinneoidh mé agam féin é. Ach níl agam ar an mboc spreasánta sin anois ach *seanbhlas agus ní fhéadfainn an dearcadh sin a athrú ar ór na cruinne."

* i nglór scaollmhar *in a panicky voice*
* impím agus achainím ort *I pray and beseech you*
* ba bheag nar éignigh sé thú *he nearly raped you*
* díoltas *revenge*
* bheinn faoi chomaoin agat *I would be obliged to you*
* seanhbhlas *disgust*

"Ní dearfach an bharúil atá agam de ach oiread a Bhiddy, ní nach ionadh", arsa Cáitín le gáire fann.

"Ach tá gné dhearfach amháin de do scéal ar a laghad. Tá foghlaimeoir amháin a fhreastalaíonn ar ranganna Mhánais agus níor thaitin sí liom in aon chor. Samantha is ainm di ach tugaimse an Stróinéisí uirthi mar go mbíonn fonn uirthi i gcónaí a tuairimí foclacha a chur in iúl don rang. Luaigh mé leat í i gCaife Nuala, más buan mo chuimhne. Pé scéal é, chonacthas dom ón tús go raibh sí ag iarraidh iúl Mhánais a tharraingt uirthi féin, gur theastaigh uaithi dul faon mbraillín leis. Ach a mhalairt de scéal ar fad atá ann dáiríre, is dócha. Déarfainn gurb é Mánas atá ag iarraidh caidreamh collaí bheith aige léi. Fuair Mánas cuireadh teacht go dtí mo bhainis sé mhí ó shin agus cé a thug sé leis ach…"

"A Bhiddy", arsa Cáitín in ard a gutha, "tá tú pósta. Rinne mé dearmad glan air sin. Déanaim comhghairdeas leat. Gura fada buan taitneamhach do shaol pósta! Nach iomaí cor a chuireann an saol de fiú le linn aon bhliana amháin."

"Is fíor duit, a chailín, tá an méid sin athruithe tite amach i mo shaol ó bhí mé sa Siopa seo bliain ó shin, ní chreidfeá é."

"Tuigim go n-inseoidh tú scéal Mhánais le do chéile leapa nua, a Bhiddy! Ní iarrfaidh mé ort aon rud a cheilt air! Ach abair leat, tá do chluas bodhraithe agam le mo scéalta neafaiseacha féin. Tá cead cainte tuillte agat!"

"Bhí mé breá sásta éisteacht leat, a Cháitín, ná bí buartha. Maidir le mo shaol féin tá an méid sin athruithe móra tagtha air gur geall le sobaldráma é! Thosaigh sé go léir tuairim is bliain ó shin nuair a fuair mé amach go raibh mé chun bheith i mo sheanmháthair. Tá sé díreach rite liom go bhfuair mé amach an lá a tháinig mé isteach anseo chun úrscéal Gaeilge a cheannach do mo mhac is a chailín agus foclóir póca Gaeilge-Béarla dom féin."

"Is cuimhneach liom é sin. Nár thug mé seanchóip de fhoclóir duit saor in aisce?"

"Thug, cinnte, táim fós buíoch díot as sin, a Cháitín, b'fhíormhaith uait é. Pé scéal é, thug mé cuairt ar Liam is Áine níos déanaí an lá sin is chuir siad in iúl dom go raibh Áine ag iompar clainne. Chuir sé sin díomá an domhain orm ar dtús mar nach raibh siad pósta, agus níl fós. Ach gan scéal mhadra na n-ocht gcos a dhéanamh de, ba ghearr gur ghlac mé le cúrsaí mar a bhí.

"Ba timpeall an ama chéanna a thosaigh mé ag freastal ar ranganna Gaeilge Mhánais agus d'athraigh sé sin an chuma a bhí ar mo shaol amach is amach. Le linn na bliana roimhe sin ní bhíodh mórán le déanamh agam i rith an lae seachas na páipéir a léamh. Bhí m'fhear céile tar éis bás a fháil agus gan ach dhá bhliain is caoga aige. Ní raibh morán lucht aitheantais agam mar b'annamh a d'fhág mé an teach. Bhí mé uaigneach i ndiaidh m'fhir agus chonacthas dom go raibh mo shaol gan aon aidhm, gan aon chuspóir."

"Tuigim duit, a Bhiddy, ba é sin díreach mar a bhí sé i gcás mo sheanmháthar féin nuair a fuair mo sheanathair bás."

"B'fhearr do do sheanmháthair an Ghaeilge a fhoghlaim! Chomh luath is a thosaigh mé ag freastal ar na ranganna Gaeilge tháinig feabhas mór ar chúrsaí. Cé nach mbíonn ach aon rang amháin againn i rith na seachtaine bíonn an-chuid oibre le déanamh, go háirithe ag an tús. Thug mé na huaireanta gach lá ag foghlaim rialacha gramadaí agus focail nua. Chomh maith leis sin go léir chuir mé aithne ar na daoine eile sa rang. Bhí Pat Myers, fear an tsiopa is cóngaraí do mo theach féin, ag freastal ar na ranganna i mo theannta agus chuireamar na seacht n-aithne ar a chéile, mar is eol duit!" arsa Biddy agus aoibh an gháire uirthi.

"Maith thú, a Bhiddy. Ní hé eolas ar an teanga an t-aon bhuntáiste atá le baint as foghlaim na Gaeilge!"

"Ní bréag é sin! Agus níor luaithe pósta sinn ná gur saolaíodh mac do chailín mo mhic. Naoise is ainm dó agus tháinig sé ar an saol trí mhí ó shin. Bhí súil agam go gceannóinn leabhar de shaghas éigin a bheadh oiriúnach do Naoise is dá mháthair, rímeanna deasa éigin mar shampla, nó rud éigin le *léaráidí is pictiúir bhreátha a bheadh dírithe ar leanaí óga. Is dócha go bhfuil a leithéid de leabhar le fáil?"

"Tá, cinnte. Téimis ar ais go dtí an siopa – is mithid dom an doras a oscailt arís, is dócha! Taispeánfaidh mé duit an tseilf ar a bhfuil leabhair do dhaoine óga agus tabharfaidh mé an ceann sin le hAnnette Byrne duit, leis. Is íontach an bhliain atá curtha agat díot maith go leor, nár laga Dia do lámh.

* léaráidí *illustrations*

Caibidil 9

Fear céile fónta

Chuaigh Biddy isteach sa teach is chuir sí an dá leabhar a bhí ceannaithe aici ar an mbord sa chistin. Tháinig Pat suas chuici is thug póg cheanúil di.

"Conas a d'éirigh leat sa chathair ar maidin, a mhuirnín?"

"Fan go ndéarfaidh mé leat, tá rudaí faighte amach agam faoi Mhánas a chuirfidh ionadh an domhain ort."

D'inis Biddy an scéal a bhí inste ag Cáitín di. Nuair a chríochnaigh sí rinne Pat greann, mar ba ghnách leis.

"Ní fheadar, a stór, an féidir liom ligean duit leanúint ar aghaidh ag freastal ar na ranganna sin. Má tá dúil chomh mór sin sa bhualadh leathair ag Mánas tá seans maith go mbeidh sé ag iarraidh cluain a chur ort nuair a bheidh sé réidh leis an Stróinéisí."

"Ní haon scéal grinn é seo, a stór. Agus dála an scéil, is léir go raibh an ceart agat go raibh mé ró-dhian ar Samantha. Níor chóir dúinn an Stróinéisí a thabhairt uirthi a thuilleadh. Caithfimid leasainm nua a cheapadh."

"Déanfaidh mé mo mhachnamh air. An bhfuil *cruóg leis?"

"Ná déan amadán díot féin, a Phat Myers. B'fhearr duit tú féin a *phrapáil. Tá socraithe againn go dtabharfaimid cuairt ar ár ngarmhac ag a cúig inniu. Déanfaidh mé iarracht Tuarascáil na Céadaoine seo caite a léamh arís agus tú faoin gcith. Ach níl a fhios agam cár fhág mé an foclóir, an bhfaca tú féin é?"

"Tá sé ar an matal os cionn an teallaigh sa seomra suí, ach ní dóigh liom go n-éireoidh leat an Tuarascáil sin a léamh an dara huair", arsa Pat agus cuma náireach air.

"An bhfuil tú ag rá liom nach bhfuil caighdeán mo chuid Gaeilge ard go leor, a stór?"

"Níl, táim ag rá leat go bhfuil an chóip sin den Irish Times caite amach agam. Mheas mé go raibh sé léite agat. Ach tá cóip na Déardaoine againn go fóill. D'fhéadfá féachaint ar cholún Alan Titley.

"Dhera, ní fiú dom iarracht a dhéanamh é sin a léamh. Bíonn Gaeilge chasta á húsáid aige, focail dheoranta agus *meafair theibí. Fiú níl teideal an cholúin féin le fáil san fhoclóir. Crobhingne, cad is brí leis sin in aon chor? Tá roinnt blianta eile foghlama le cur díom sula mbeidh mé in ann colún den saghas sin a léamh gan dua. Ach ná bíodh aon imní ortsa, isteach faoin gcith leat. Meilfidh mé an aimsir gan mórán trioblóide."

"Aon tasc eile le déanamh, a chaptaein?" arsa Pat agus é ag dul síos an halla i dtreo an tseomra folctha.

"Ná bí ró-ghlic, a mhic, seans go bhfuil tascanna eile agam duit."

* an bhfuil cruóg leis?

* tú fein a phrapáil *to get yourself ready*

* meafair theibí *abstract metaphores*

"An té nach bhfuil láidir, ní foláir dó bheith glic", arsa Pat agus doras an tseomra folctha á dhúnadh aige ina dhiaidh.

Lig Biddy osna sásaimh. Níor shamhlaigh sí sna míonna i ndiaidh bhás a fir go raibh lá eile áidh ná áthais i ndán di. Ach chonacthas di anois nár thosaigh a saol i gceart go dtí an bhliain seo caite. Chuir foghlaim na Gaeilge bród uirthi, bród de shaghas nár mhothaigh sí riamh roimhe sin le linn a saoil. Bhraith sí go raibh rud éigin fiúntach agus tábhachtach ar siúl aici agus ba léir di an dul chun cinn a bhí á dhéanamh aici ó sheachtain go seachtain is ó mhí go mí.

Trí na ranganna Gaeilge bhí taithí á roinnt aici le daoine eile agus, ar ndóigh, bhí sí pósta le fear iontach. Ní déarfadh sí os ard é choíche ach ba seacht n-uaire níos fearr a bhí a saol pósta le Pat ná lena céad fhear. Bhí Pat caoin cineálta, níor scinn oiread is focal amháin feirge riamh óna bhéal. Bhí sé ar fáil i gcónaí chun tacaíocht a thabhairt do Bhiddy, chun misneach a thabhairt di, chun éisteacht go cúramach léi is chun comhairle mhaith a thabhairt di.

Bhí céad fhear Bhiddy beagfhoclach is gan suim aige ach i gcúrsaí spóirt is i gcúpla pionta sa teach tábhairne agus lá fada oibre curtha isteach aige. Bhíodh sé *gairgeach le Biddy ó am go chéile nuair nach mbíodh giúmar maith air. Bhí Pat thar a bheith nua-aimseartha i gcomparáid leis.

Mar bharr ar an ádh sin go léir, bhí garmhac gleoite ar Bhiddy. Chuir sé cluaisíní croí uirthi gach uair a smaoinigh sí air.

"Nach tú atá ar do *mharana?"arsa Pat lena bhean agus é tagtha amach as an seomra folctha.

* gairgeach *gruff*

* ar do mharana *lost in thought*

"Is ortsa a bhí mé ag meabhrú, a stór, ortsa agus suáilcí eile mo shaoil", arsa Biddy agus í ag éirí ón mbord sa chistin. "An-mhaith mar sin, mura bhfuil aon rud eile le déanamh agat rachaimid go teach Liam."

Caibidil 10

Naoise, an garmhac

"Conas atá tú, a fhirín álainn, conas atá tú?", arsa Biddy agus í ag cromadh síos os cionn *chliabhán Naoise. Bhí *lúidín Bhiddy ina ghlac ag an leanbh is gáire *mantach á dhéanamh aige lena sheanmháthair. Rinne Biddy é a chigilt faoin smig is thug sí *deochadh póg dó.

"Suigh chun boird, a Mhamaí, ní fada go mbeidh na prátaí fuar. Is féidir leat labhairt le Naoise i ndiaidh an dinnéir. Beidh sé anseo an lá ar fad!"

"Tá a fhios agam sin, a stór, ach tá sé deacair orm mé féin a shracadh ón ngleoiteog linbh seo. Agus nach air atá an t-ádh go bhfuil sé cosúil lena mháthair. Tá na súile is an tsrón chéanna aige, nach bhfuil an ceart agam, a Áine?", arsa Biddy agus súil á caochadh aici ar Áine.

"Níl ach raiméis á rá agat, a Mhamaí, is é a athair ina *athbhreith é Naoise, ní féidir é sin a shéanadh."

"Nach bhfuil an radharc agat a thuilleadh, a mhic?" arsa Biddy le greann, "ba chóir duit coinne a dhéanamh leis an radharceolaí."

---

* cliabhán *cradle*
* lúidín *little finger*
* mantach *toothless*
* thug sí deochadh póg dó *she smothered him with kisses*
* is é a athair ina athbhreith é *he is the image of his father*

"Dála an scéil, a Bhiddy, go raibh míle maith agat as an leabhar sin. Tá sé curtha le chéile go tarraingteach agus tá na céadta nathanna úsáideacha istigh ann. Bainfidh Naoise agus mé féin an-fheidhm as sna blianta amach romhainn, le cúnamh Dé."

"Cén leabhar é sin?" arsa Liam agus práta beirithe á shlogadh siar aige.

"Bhí mé istigh i Siopa na Gaeilge inniu chun leabhar a mhol Mánas dom a fháil. Ach cheannaigh mé ceann do Naoise chomh maith. 'Gaschaint' is teideal dó. Tá sé dírithe ar thuismitheoirí atá ag iarraidh Gaeilge a labhairt lena leanaí. D'fhreastail páistí an údair féin ar ghaelscoil agus thuig sí na deacrachtaí a bhíonn ag tuismitheoirí ó thaobh labhairt na Gaeilge de. Mar sin chuir sí scéim ar bun chun cúnamh leis na tuismitheoirí agus is ón scéim sin a d'fhás 'Gaschaint.'"

"Nach tú atá eolach, a Mhamaí", arsa Liam go plámásach.

"Dhera nílim ach ag déanamh athrá ar an méid a luaigh an freastalaí i Siopa na Gaeilge liom. *Mhol sí go barr bata é."

"Cár pháirceáil tú an gluaisteán inniu agus tú sa chathair, a Bhiddy", arsa Áine, "thiomáin mé isteach an lá seo seachtain ó shin ach ní raibh áit pháirceála le fáil ar ór ná ar airgead is bhí orm teacht abhaile gan mo chos a chur lasmuigh den charr."

"Ní chuireann sé sin lá ionaidh orm, a Áine. Bhí mé féin ag tiomáint timpeall ar feadh leathuaire sular tháinig mé ar spás páirceála. Síos cúlsráid ghránna éigin a bhí sé. Bhí an t-ádh liom mar go bhfaca tiománaí veain mé agus mé

* mhol sé go barr bata é *he praised it to the high heavens*

ag tiomáint go mall ag lorg spáis. Stop sé mé is dúirt liom go raibh sé féin ag fágáil is go bhféadfainn an gluaisteán a pháirceáil san áit ina raibh a veain."

"Is annamh go leor a dhéanann daoine dea-ghníomh den saghas sin", arsa Pat, "bíonn muintir na hÉireann chomh gnóthach deabhach sin sa lá atá inniu ann nach mbíonn an t-am acu beannú dá chéile agus iad ag dul thar bráid a chéile ar an tsráid."

"Aontaím leat go hiomlán, a stór. Bhí an méid sin carranna móra nua páirceáilte ar thaobh na sráide inniu nár aithin mé an áit. Ach ní oireann an saibhreas dúinn. Fiche nó tríocha bliain ó shin ba bheag de *mhaoin shaolta a bhí againn ach bhí múineadh orainn, bhíomar níos láiche."

"Ach bhí sibh óg ansin, agus is glas iad na cnoic i bhfad uainn", arsa Liam agus é ag magadh.

Ba bheag aird a thug Biddy air, áfach. "Ní ionadh mar sin nach Éireannach in aon chor é a chaith an chomaoin sin liom. Nó ní Éireannach ó dhúchas é, ba chóir dom a rá. Fear gorm a bhí ann. Bhí scanradh m'anama orm nuair a shiúil sé suas go dtí an gluaisteán. Fear millteach slinneánach é agus ní raibh labhartha agam riamh roimhe sin le duine den chine sin. Ach bhí sé cineálta cneasta agus ní amháin go raibh an Béarla ar a thoil aige, bhí cúpla focal Gaeilge ar eolas aige, leis."

"Nach ait an mac an saol", arsa Áine agus áthas uirthi go raibh Gaeilge éigin ag roinnt de na hinimircigh a bhí ag teacht go hÉirinn leis na blianta beaga anuas.

* maoin shaolta *worldly goods*

"Deirimse libh", arsa Biddy, "cuirfidh daoine mar Thomás is an fear gorm sin náire ar bhunadh na hÉireann. Ní fada go mbeidh níos mó Gaeilge ag roinnt inimirceach ná mar atá ag Éireannaigh féin."

"B'fhéidir go spreagfaidh an náire sin Éireannaigh chun an teanga a fhoghlaim ar deireadh thiar thall", arsa Áine go smaointeach.

"B'fhéidir é, a stór, b'fhéidir é."

"Ní hé nach bhfuil an t-ábhar cainte seo suimiúil", arsa Liam agus na plátaí folmha á mbailiú aige, "ach tá sé díreach rite liom go bhfuil scéala mór agam faoi Mhánas."

D'fhéach Biddy is Pat ar a chéile go feasach. Theastaigh ó Bhiddy scéal Cháitín a insint don lánúin óg ach bhí a fhios aici go mbeadh fearg ar Cháitín is thuig sí go maith nach buíoch di a bheadh Liam ná Áine. Bhí dia beag déanta de Mhánas acu.

"Cén scéala é sin", arsa Biddy go fiosrach.

"Dealraíonn sé go bhfuil cailín ag Mánas, a Mhamaí, agus déarfainn go bhfuil aithne agat uirthi mar go bhfuil sí in aon rang amháin leat. Samantha is ainm di."

"Tá aithne agam ar an gcailín sin maith go leor", arsa Biddy go searbh.

"An í sin an cailín nach maith leat?", arsa Áine, "an Chlabóg nó rud éigin den saghas sin a thugann tú uirthi, nach ea?"

"Sin an cailín. An Stróinéisí a thug mé uirthi, ach bhí dul amú orm sa tuairim a bhí agam di."

"Bhuel, táim breá sásta cloisteáil go bhfuil Mánas ag siúl amach le bean éigin", arsa Áine, "is fear maith é, beidh an t-ádh ar aon chailín a dtabharfadh sé cion di."

"Duine deas é, cinnte dearfa", arsa Liam, "tá súil agam go bhfuil cailín maith roghnaithe aige."

"Ach nach bhfuil sé ábhairín mímhorálta go bhfuil sé ag siúl amach le dalta dá chuid", arsa Biddy agus fonn uirthi drochiompar Mhánais a insint do Liam is Áine.

"Och, a Mhamaí, ná bí chomh seanaimseartha is cúngaigeanta sin. Deir tú 'dalta' amhail is nach mbeadh ach dhá bhliain déag aici. Is daoine fásta iad araon. Is féidir leo pé rud is mian leo a dhéanamh."

"Ach nach bhfuil roinnt mhaith blianta eatarthu?", arsa Biddy agus í ag iarraidh droch-chlú éigin a tharraingt ar Mhánas.

Ach díreach ansin d'imigh *broim bhréan thorannach ar Liam. Thit ciúnas míshuaimhneach a mhair soicind sular fhéach Liam ar Naoise sa chliabhán. "Ní shamhlóinn choíche a leithéid de bhroim le leanbán chomh beag bídeach sin."

Scairt gach duine amach ag gáire.

* broim *fart*

Caibidil 11

Ceacht Gramadaí

Bhí an cúigear ban ag éisteacht go haireach le Mánas. Mar ba ghnách leis, bhí tús curtha leis an rang aige le ceacht gramadaí.

"Tosóimid inniu le díochlaonadh na haidiachta. Scríobhfaidh mé ainmfhocal is aidiacht ar an gclár dubh sa *tuiseal ainmneach is iarrfaidh mé ar dhuine agaibh na focail sin a chur sa *tuiseal ginideach."

Scríobh Mánas 'an fear bocht' ar an gclár dubh. Níor luaithe an focal deiridh scríofa ag Mánas ná gur tháinig an abairt 'hata an fhir bhoicht' go tapa as béal Samantha.

"Go hiontach, a Shamantha", arsa Mánas, "anois, cad mar gheall ar an abairt seo a leanas, 'an bhean bhocht'?"

Rinne Samantha freagra a spalpadh amach arís. "Éadaí na mná boichte."

Bhí Biddy tar éis teacht ar athrú tuairime mar gheall ar Shamantha ó fuair sí amach gurb é Mánas a chuir cluain

---

* an tuiseal ainmneach
the nominative case

* an tuiseal ginideach *the genitive case*

uirthi agus ní a mhalairt mar a chonacthas di ag an tús. Ach ina ainneoin sin chuir sé dóiteacht uirthi go ndearna Samantha na freagraí a rá amach os ard chomh luath is a bhí an cheist curtha ag Mánas. Níor thug sí seans d'éinne eile sa rang páirt a ghlacadh.

"Tá tú thar a bheith eolach ar fad ar chúrsaí gramadaí, a Shamantha", arsa Mánas agus súil á caochadh aige uirthi, "caithfidh go bhfuil ranganna príobháideacha ar siúl agat lasmuigh den rang seo."

Chuir an chaint seo mágra éadain ar Bhiddy. Ba mhaith a thuig sí cad a bhí ar intinn ag Mánas agus ranganna príobháideacha á lua le Samantha aige. Bhí trua aici do Shamantha go raibh sí á *hionramháil ag an bhfear gáirsiúil seo. Níor fhéad sí scéal Cháitín a dhíbirt as a hintinn is bhí col aici le Mánas dá dheasca sin.

Ba é 'an fear feargach' an chéad líne eile a bhreac Mánas síos.

"*Fiamh an fhir fheargaigh", arsa Biddy go *pras sular éirigh le Samantha oiread is siolla a chur aisti.

"Maith thú, a Bhiddy", arsa Mánas, "agus cad mar gheall ar an gceann seo a leanas, 'an bhean fheargach'?"

"Clamhsán na mná feargaí", arsa Biddy.

"An-mhaith, a Bhiddy, tá na freagraí ag teacht go tiubh tapa uait. Lean ort."

Thug Samantha súil mhillte ar Bhiddy. B'annamh an barr bheith bainte di ag bean de na mná eile sa rang agus níor thaitin sé in aon chor léi go raibh ag éirí chomh éasca sin le Biddy é sin a dhéanamh.

---

* ionramháil *manipulate*
* go pras *quickly, promptly*
* fiamh *bitterness, grudge*

D'aithin Biddy ar Shamantha go raibh fiamh uirthi léi ach ba bheag a chuir sé sin isteach ar Bhiddy. Bhí sí ag baint taitnimh as Samantha a bharraíocht.

Ba léir do Mhánas go raibh Biddy is Samantha in *iomaíocht le chéile is rinne sé iarracht an *iompairc a sheachaint agus d'iarr sé ar gach bean a n-abairtí féin a chumadh is a chur ar pháipéar. Ina dhiaidh sin d'iarr sé ar gach bean ar a *seal a habairtí a léamh amach os ard.

Nuair a tháinig seal Bhiddy léigh sí amach a céad abairt in ard a gutha.

"An tuiseal ainmneach: an múinteoir mímhorálta. An tuiseal ginideach: mí-iompar an mhúinteora mhímhorálta."

"Ceart go leor, a Bhiddy", arsa Mánas agus é ag féachaint go hamhrasach uirthi, "níl aon *mheancóg ghramadúil ansin. An chéad abairt eile le do thoil."

"An tuiseal ainmneach: an mhaighdean óg. An tuiseal ginideach: milleadh na maighdine óige."

Ruaimnigh aghaidh Mhánais is bhog sé ar aghaidh go dtí an chéad fhoghlaimeoir eile gan focal eile a rá le Biddy.

Agus an ceacht gramadaí críochnaithe chuir Mánas tús leis an gcéad cheacht eile.

"An-mhaith mar sin, éistfimid anois le *sleachta as na dialanna atá á gcoimeád agaibh."

Thosaigh bean amháin a lámh a chur suas chun taispeáint go mbeadh sí sásta a sliocht féin a léamh ach sula raibh am ag Mánas í a thabhairt faoi deara bhí curtha in iúl ag Samantha gurbh ise an chéad bhean a léifeadh amach a sliocht.

---

* ag iomaíocht le chéile *competing with each other*
* iompairc *jealous rivalry*
* ar a seal *in turn*
* meancóg *mistake*
* sliocht *extract*

"Tosóidh mise", arsa an cailín postúil, "bhí seachtain eachtrach agam."

Bhí iompar *anuallach Shamantha ag cur isteach ar Bhiddy is bhí maolú ag teacht ar an trua a bhí aici di go raibh cluain curtha ag Mánas uirthi.

"B'fhéidir nach bhfuil aici ach an fear atá tuillte aici", arsa Biddy faoina fiacla.

D'fhéach beirt bhan i dtreo Bhiddy ach d'fhéach sí ar ais orthu amhail is nach mbeadh faic ráite aici. Bhí Samantha ag léamh léi agus cur síos á dhéanamh aici ar an gcóisir a d'eagraigh sí in ómós caogadú breithlá a máthar. Ar ndóigh bhí togha gach bia agus rogha gach dí le fáil ag an gcóisir agus bhí sí ar siúl i gceann de na bialanna is ardnósaí is costasaí sa chathair. Nuair a rinne Samantha iarracht an áit a chur in áirithe ar dtús dúradh léi nach n-eagraítear cóisirí sa bhialann sin ach *theann Samantha ar bhainisteoir na bialainne faoi go dtí gur ghéill sé di.

Bhí seanbhlas ag Biddy ar iompar stróinéiseach na mná óige. Chonacthas di go raibh leasainm éigin tuillte aici.

"Níl 'stróinéisí' in úsáid againn a thuilleadh, ach b'fhéidir go n-oirfeadh an Chlaibseach di mar leasainm. Pléifidh mé é le Pat i ndiaidh an ranga", arsa Biddy agus í ag caint faoina fiacla an athuair.

D'fhéach an rang ar fad uirthi an babhta seo.

"Ó, gabh mo leithscéal, caithfidh go bhfuil mé ag dul as mo mheabhair agus mé ag caint liom féin mar sin", arsa Biddy agus í ag iarraidh greann a dhéanamh.

* anuallach *arrogant*

* theann sí ar bhainisteoir na bialainne *she pressed the manager of the restaurant*

Bhí Biddy ag súil go mór lena sliocht dialainne féin a roinnt leis an rang is nuair a tháinig a seal léigh sí go mall soiléir.

"Dé Sathairn seo caite bhí cúig mhí ann ó phós mé Pat Myers..."

"Is cuimhin liom an lá go maith, a Bhiddy", arsa Mánas agus é ag teacht roimh Bhiddy, "an-bhainis ar fad a bhí ann."

"Ach ba é sin an t-aon dea-rud a tharla i rith na seachaine atá díreach imithe thart. Oíche Aoine, tar éis an ranga seo bhí iriseoir éigin ar an Late Late agus raiméis á spalpadh aige mar gheall ar an airgead a bhí á dhiomailt ag an rialtas trí é a chaitheamh ar chur chun cinn na Gaeilge. D'fhág sin nach raibh giúmar maith orm agus mé ag dul a chodladh an oíche sin."

"Chonaic mé an clár", arsa Mánas agus é ag teacht roimh Bhiddy an athuair, "agus tá an ceart agat, ní raibh ach *brilléis ar siúl aige."

"Ach an rud ba mheasa a tharla dom i rith na seachtaine ná gur chuala mé scéal uafásach mar gheall ar dhuine a bhfuil aithne agam air."

Bhioraigh na foghlaimeoirí eile a gcluasa.

"Is fear fásta é an duine seo agus bhí an-mheas agam air, samhlaíodh dom gur fhear cineálta cneasta é. Ach fuair mé amach nach bhfuil ann ach bithiúnach drúisiúil. Theastaigh ón bhfear fásta seo maighdean óg a mhilleadh is nuair a thug sí eiteach dó thug sé gach masla cainte di. Ba bheag nár éignigh sé í."

* brilléis *silly talk, nonsense*

Bhí na daltaí eile ar cipíní agus an scéal á ríomh ag Biddy ach rinne Mánas a cuid léitheoireachta a chiorrú.

"An-mhaith, a Bhiddy, is léir go bhfuil ag éirí go maith leat. Níl aon bhotún in aon chor sa méid atá léite agat, ach tá an t-am ag sleamhnú thart agus caithfimid bogadh ar aghaidh go rudaí eile."

Níor tharla riamh roimhe sin gur chiorraigh Mánas dalta le linn léamh na ndialann ach níor chuir sé ionadh ar bith ar Bhiddy gurb é sin a bhí déanta aige anois. Agus ba bheag a chuir iompar Mhánais isteach uirthi. Ba léir anois do Mhánas go raibh a fhios ag Biddy faoina chleasa ach ag an am céanna níor thuig éinne eile gurbh iad Cáitín is Mánas a bhí i gceist aici.

Agus, ar ndóigh, bhí a cuid Gaeilge á húsáid is á feabhsú aici an t-am ar fad. B'aoibhinn beatha an fhoghlaimeora fhásta.

Caibidil 1

Ag Foghlaim na Fírinne

Pháirceáil Biddy ar an gcabhsa gairbhéil lasmuigh den teach. Níor stop sí an t-inneall, áfach. D'fhan sí sa ghluaisteán ar feadh cúpla nóiméad agus í ag éisteacht le Raidió na Gaeltachta. Bhí fear ag caint agus bhí blas Chonamara chomh láidir sin ar a chuid cainte go raibh sé deacair ar Bhiddy é a thuiscint. Shíl sí go raibh sé ag déanamh cur síos ar a óige sna Forbacha, ach níor fhéad sí bheith cinnte.

"As a chéile a thógtar na caisleáin" arsa Biddy léi féin, osna dhomhain á ligean aici agus an raidió á chur as aici.

Chuaigh sí isteach sa teach is dhún an doras ina diaidh. "A Phat, a Phat, táim buailte, táim briste", arsa Biddy i nglór caointeach agus domheanma uirthi, mar dhea.

"Cad tá cearr leat, a stór", is ea a d'fhiafraigh Pat di agus barróg mhuirneach á breith aige uirthi.

"Bhí mé díreach ag éisteacht le cainteoir dúchais ar Raidió na Gaeltachta ach is beag focal a thuig mé. Tá mo chroídhícheall á dhéanamh agam le bliain anuas chun an Ghaeilge a fhoghlaim ach nílim in ann cainteoir dúchais a thuiscint go fóill. Nach bhfuil sé sin tubaisteach?"

"A Bhiddy, a thaisce, tá tú ag dul thar fóir le do chuid uaillmhianta. Ní cóir bheith ró-uaillmhianach. Tá sé sin ráite agam leat cheana. Níl ach bliain ann ó chuir tú tús le foghlaim na Gaeilge agus tá an-dul chun cinn déanta agat. Tá na briathra neamhrialta go léir curtha de ghlanmheabhair agat faoin am seo agus tuigeann tú formhór mór a mbíonn á rá ag Mánas i rith na ranganna. Ba chóir duit bheith chomh bródúil le cat a mbeadh póca air, nár chóir?" arsa Pat agus ceann Bhiddy á chuimilt go grámhar aige.

"Ba chóir", arsa Biddy agus gliondar ar a chroí gur thug Pat an méid sin tacaíochta di.

"Tá éacht déanta agat, nach bhfuil?"

"Tá, cinnte. Tagaim leat go hiomlán ar an bpointe sin", arsa Biddy agus aoibh an gháire uirthi.

"Ar fhoghlaim tú mórán Gaeilge nuair a bhí tú ar scoil?"

"Níor fhoghlaim."

"An raibh Gaeilge ag do thuismitheoirí?"

"Ní raibh."

"An bhfuil oiread is lá de do shaol tugtha agat sa Ghaeltacht?"

"Níl, ach mar is eol duit, tá cuireadh agam ó thuismitheoirí Áine cuairt a thabhairt orthu pé uair is maith liom."

"Ach níor thug tú lá sa Ghaeltacht go fóill, ag caint le muintir na Gaeltachta, ag éisteacht leo agus iad ag labhairt Gaeilge, ar thug?"

"Níor thug."

"Nach bhfuil tú ag dul thar cailc mar sin nuair a deir tú go bhfuil tú buailte toisc nár thuig tú gach rud a bhí á rá ag cainteoir dúchais éigin a chuala tú ar Raidió na Gaeltachta?"

"Tá."

"Nach bhfuil ag éirí go breá leat?"

"Tá."

"Pé scéal é, tá i bhfad níos mó bainte amach agat ná mar a bhain mé féin amach. Níor éirigh liom ach ceithre mhí a thabhairt ag foghlaim na teanga".

"A Phat, a mhuirnín, éirigh as, impím agus achainím ort. Bhain tú triail as, is é sin an rud is tábhachtaí. Is mór agam an tacaíocht a thug tú dom ag an tús agus tá tú fós ag tacú liom cé nach bhfuil tú ag freastal ar ranganna a thuilleadh. In ainm Dé, níl aon chúis díomá agat. Níor theip tú orm in aon chor, deirimse leat".

"An-mhaith mar sin, éireoidh mé as, ní dhéanfaidh mé trácht air choíche arís", arsa Pat agus é ag iarraidh greann a dhéanamh, mar ba ghnách leis.

"An mbeidh braon tae agat, a stór? Is dócha go bhfuil tart ort i ndiaidh na cainte go léir a rinne tú i rith an ranga?"

"Beidh breis is braon agam! Táim *spallta leis an tart rinne mé an méid sin cainte. Rinne mé deimhin de nárbh í

---

* spallta leis an tart *parched with the thirst*

Samantha amháin agus a focail dheoranta a bhí le cloisteáil le linn an ranga inniu. Agus ní mó ná sásta a bhí sí!"

"Tá tú i bhfad ró-dhian ar an gcailín bocht sin," arsa Pat.

"Agus níorbh í Samantha amháin a d'fhoghlaim ceacht inniu. Thug mé le tuiscint do Mhánas go bhfuil a fhios agam gur bithiúnach é."

"A Bhiddy, a stór, níor chóir duit do *ladar a chur sa scéal sin. Ní bhaineann sé leat," arsa Pat agus é ag féachaint go hamhrasach uirthi.

Díreach ag an bpointe sin thosaigh an fón ag bualadh is chuaigh Biddy isteach sa halla.

"Haló, Biddy anseo."

"Haigh, a Bhiddy, Samantha ón rang Gaeilge anseo. Brón orm go bhfuilim ag cur isteach ort mar seo gan aon rabhadh. An féidir leat labhairt liom ar feadh cúpla nóiméad?"

"Is féidir, cinnte," arsa Biddy agus ionadh an domhain uirthi gurbh í Samantha a bhí ar an líne, "an bhfuil gach rud i gceart? Cloisim go bhfuil imní i do ghlór."

"A Bhiddy, labhair go hoscailte liom, impím ort. Arbh é Mánas a bhí i gceist agat agus an sliocht sin á léamh agat as do dhialann inniu?"

"Cad a chuir a leithéid de smaoineamh isteach i do cheann?" arsa Biddy agus eagla uirthi go raibh sí tar éis trioblóid a tharraingt uirthi féin.

"In ainm Dé, a Bhiddy, bí macánta liom. Chonaic mé gur dhearg Mánas go bun na gcluas nuair a léigh tú amach do

* ladar a chur sa scéal *interfere in the matter*

shliocht dialainne. Ba é sin an chéad uair riamh a chiorraigh sé éinne agus sliocht á léamh acu."

"Á, ní raibh ann ach nár thaitin an píosa le Mánas," arsa Biddy agus í ag iarraidh *spior spear a dhéanamh ar imní Shamantha.

"Impím ort, a Bhiddy, bí macánta liom. Déarfaidh mise an fhírinne leat agus ansin déarfaidh tusa an fhírinne liom. An bhfuil sé sin maith go leor?"

Níor thug Biddy aon fhreagra.

"Táim ag siúl amach le Mánas le beagnach leathbhliain anuas agus táim splanctha ina dhiaidh. Ach táim ag fáil amhrasach air. Tá ráite ag mo dheirfiúr liom go mbraitheann sí gur buachaill báire é, go mbaineann sé lán a shúl as gach cailín a théann thairis ar an tsráid. Níor chreid mé í ar dtús, mheas mé nach raibh sí ach in éad liom go raibh fear chomh dóighiúil deisbhéalach agam. Ach bhíomar sa teach tábhairne cúpla seachtain ó shin le bean de mo chairde agus thug mé faoi deara go raibh Mánas ag féachaint suas síos uirthi go drúisiúil nuair a shíl sé go raibh m'aird ar rud éigin eile. Anois tá an chuma ar an scéal go ndearna sé iarracht cailín óg a éigniú, más eisean a bhí i gceist agat i do shliocht dialainne.

"Ní theastaíonn uaim bheith ag siúl amach le fear den saghas sin. Ní foláir nó go dtuigeann tú féin é sin mar bhean. Nach féidir leat cabhrú liom gaol leis an saghas sin fir a sheachaint, fiú mura bhfuil meas agat orm."

"A Shamantha, ní hé nach bhfuil meas agam ort ach..."

"Á, a Bhiddy, ná déan bréagadóir díot féin, tá a fhios agam gur mar gheall orm a bhí tú ag caint ag an mbainis..."

* ag iarraidh spior spear a dhéanamh ar a himní
trying to dispel her worry

Bhain sin siar as Biddy is níor thug sí aon fhreagra air. Bhí ciúnas ar feadh nóiméid go dtí gur labhair Samantha arís.

"Níl aon olc agam duit, a Bhiddy, ach an bhféadfá an fhírinne faoi Mhánas a rá liom, an bhféadfá sin a dhéanamh dom?"

Lig Biddy osna fhada dhomhain.

"Is é Mánas a bhí i gceist agus mo shliocht dialainne á léamh agam."

Lig Samantha uspóg.

"Agus cathain a tharla sé?"

"Tuairim is cúig mhí ó shin."

"An bastard salach. Bhí mé ag siúl amach leis ansin. D'fhéadfainn é a *spochadh."

"Ba chóir dom a rá go raibh mé ag déanamh áibhéile nuair a dúirt mé gur bheag nár éignigh sé í. Tá ráite ag an gcailín féin liom nach ndearna sé oiread is iarracht lag í a éigniú. Nuair a chuir sí in iúl dó nach mbeadh aon chaidreamh chollaí aige léi d'éirigh sé as is thug sé síob abhaile di."

"Cé hí an cailín féin?"

"Gheall mé di nach mbogfainn mo bhéal ar an scéal seo."

"Maith go leor. Tuigim é sin. Bhuel, a Bhiddy, go raibh maith agat as a bheith macánta liom, ní dóigh liom go bhfeicfidh tú arís mé sna ranganna Gaeilge."

"Is trua é sin," arsa Biddy go mímhacánta.

"Ach a Shamantha, in ainm Dé, ná habair leis gur uaimse a fuair tú amach."

* spochadh *castrate*

"Ní déarfaidh, a Bhiddy, ach tá sé cliste. Tuigfidh sé gur uaitse a chuala mé."

"Tá smaoineamh agam. Tá cluain curtha ag Mánas ar fhoghlaimeoirí eile. Ní tusa an chéad duine. Dúirt an cailín liom gur inis sé scéalta di faoi na foghlaimeoirí go léir a thug sé faoin mbraillín. D'fhéadfá a rá leis gur bhuail tú le bean éigin a d'fhreastail ar a ranganna cúpla bliain ó shin is gur ise a d'inis duit mar gheall ar a nósanna leapa."

"Cuireann an t-eolas go léir seo mágra éadain orm. Is ar éigean is féidir liom é seo go léir a chreidiúint. Ach is maith an smaoineamh é sin, a Bhiddy. Sin an scéal a inseoidh mé do Mhánas."

"Tá fíor-bhrón orm gur mise a chuir drochimeacht Mhánais ar do shúile duit."

"Ná bí buartha, a Bhiddy. Mar a dúirt mé cheana, bhí mé ag éirí amhrasach faoi, agus i gcás den saghas seo is fearr a fhios a bheith ag duine inniu ná amárach."

"Tá an ceart agat, a chailín, tá an ceart agat. Níl aon easpa fear in Éirinn, buíochas le Dia, ní fada go mbeidh buachaill nua agat, buachaill maith."

"Tá súil agam é, a Bhiddy. Go raibh maith agat as an gcaint dhóchasach seo. Tugann sé uchtach dom."

"Ná habair é, a chailín, tabhair aire duit féin is lean ort ag foghlaim na Gaeilge. Tá Gaeilge den chéad scoth agat. Ba náire í a chailliúint mar gheall ar bhastard mar Mhánas."

"Tá sé sin fíor," arsa Samantha agus gáire croíúil á dhéanamh aici.

"Shíl mé go raibh tú chun an oíche ar fad a thabhairt ag caint ar an bhfón," arsa Pat agus Biddy tagtha isteach sa seomra suí.

"Samantha a bhí ar an líne. Tá a fhios aige faoi drochiompar Mhánais. D'admhaigh sí dom go bhfuil sí ag siúl amach leis le leathbhliain anuas ach tá sí chun deireadh a chur leis an ngaol sin anois. Ní amháin sin, tá sí chun éirí as na ranganna Gaeilge."

"Tá tú ag freastal ar na ranganna sin chun an Ghaeilge a fhoghlaim, ní chun do ladar a chur i ngnóthaí daoine eile, nach dtuigeann tú é sin?"

"Á, a Phat, nach dtuigeann tusa nach féidir foghlaim na Gaeilge a scaradh ón gcuid eile den saol?" arsa Biddy agus ceann Phat á chuimilt go ceanúil aici.

"Is dócha go bhfuil an ceart agat," arsa Pat agus é ag fáscadh Biddy lena ucht, "nárbh í foghlaim na Gaeilge a thug sinne le chéile?"